短篇和诗歌集

贝克特作品选集 1

[爱尔兰] 萨缪尔·贝克特 著

短篇和诗歌集

郭昌京　涂卫群
邹　琰　曾晓阳　余中先　译

湖南文艺出版社·长沙

SAMUEL BECKETT

Ⓒ by Les Éditions de Minuit
1989 pour *Le monde et le pantalon*
1955 pour *Le calmant*
    La fin
    L'expulsé
1970 pour *Premier amour*
1990 pour *Peintres de l'empêchement*
1988 pour *L'image*
1976 *pour Au loin un oiseau*
    Se voir
    La falaise
    Un soir
    Pour finir encore
    Foirades I-IV
1972 pour *Assez*
    Imagination morte imaginez
    Bing
1978/1992 pour *Poèmes* suivi de *Mirlitonnades*
1981 pour *Mal vu mal dit*
1955 pour *Textes pour rien*

根据午夜出版社法文版翻译并获简体中文版出版授权

目录

世界与裤子 …………………… （1）

镇静剂 ………………………… （31）

结局 …………………………… （57）

被驱逐的人 …………………… （89）

初恋 …………………………… （111）

障碍的画家 …………………… （147）

画面 …………………………… （157）

远方一只鸟 …………………… （165）

往来 …………………………… （171）

够了 …………………………… （175）

为了再次摆脱以及其他败笔 … （189）

诗歌 …………………………… （211）

悬崖 …………………………… （263）

一个晚上 ……………………… （267）

看不清道不明 ………………… （273）

枯萎的想象力想象吧 ………… （313）

乒 ……………………………… （321）

无所谓的文本 ………………… （329）

世界与裤子

郭昌京 译

顾客： 上帝六天做好了世界，而您呢，您六个月居然没有为我做好一条裤子。

裁缝： 可是，先生，看看这世界，也看看您的裤子。

作为开始，我们谈谈另一码事，我们谈谈古老的疑问，被遗忘的或者在对此毫不在意的精品中，在这些习惯称作杰作、蹩脚货或天才作品里被消除了的怀疑。

收藏家的怀疑，当然，很聪明的收藏家，例如画家们梦想的那种收藏家，他晃着胳膊来，晃着胳膊去，脑袋里填满了他认为隐约看到了的东西。填满了我们那一文不值的肖像学著作的日期、年代、流派、影响的执行者的种种关注，与收藏家的那些苦恼相比，简直就是开玩笑。收藏家知道一幅水粉画和一幅水彩画的区别，因为他聪明，而且，他时常认为自己感受到所爱的，同时还保持着接受新事物的头脑。因为他自认为，可怜的人，任何与绘画有关的东西他都应该是内行。

我们不谈真正的评论。最好的评论，弗洛芒坦①的评论，格罗曼②的评论，麦格里维③的评论，索尔兰特④的评论，都是阿米埃尔⑤式的评论。用调色刀做子宫切除。难道不是这样吗？只有他们可以举例证明吗？当格罗曼到康定斯基那里论证蒙古图形学的无意识借用时，当麦格里维如此确切地把叶芝和华托拉到一起时，光亮跑到哪里去了？当索尔兰特敏锐地——公平地说——不肯多说地对贝勒梅尔这样的无名大画家的情况发表看法时，这又陷到哪儿去了？被赫尔·海德格尔的文章弄得着实痛

---

① Fromentin（1820—1876），法国画家、作家、艺术评论家。
② Grohmann（1887—1968），德国艺术史学家和评论家。
③ McGreevy（1893—1967），爱尔兰诗人、评论家、艺术史学家。
④ Sauerlandt（1880—1934），德国艺术史学家。
⑤ Amiel（1821—1881），瑞士哲学家、诗人和日记作家。

苦的贝勒梅尔说 *Das geht mich nicht an*。他说这话非常虚心。

要不然，大家像莱辛那样搞搞普通美学。这是件富于诱惑力的事情。

要不然，大家像瓦萨里或者《哈泼》杂志那样搞搞奇谈。

要不然，大家像史密斯那样搞搞作品编目。

要不然，大家干脆投身令人讨厌的和逻辑混乱的闲扯。现在就是这样。

人们利用词语只是自吹自擂。词典编纂者自己供认不讳。直到在忏悔中人们才露出马脚。

除了对这些几乎总是带着爱，并且经常带着小心，而且本身就是供词的涂抹出来的表面，人们就不能猥亵猥亵其他东西吗？似乎不行。在美物与珍品的收藏者中，违背自然的色彩还原反应①是颇受重视的。面对人情世故只有低头。

完成的、全新的画作就放在那儿，一个无意义。因为它还只是一幅画作，它还只经历过线条和色彩的生活，只与它的作者见过面。您分析一下它的境况。它等着人家把它拿出去。

---

① 此处为双关语，色彩还原反应（copulation）有交媾之意。

它等待看法,这些看法在几个世纪中,因为它只是一幅未来的画作,将给它加上,将给它涂抹上唯一算数的生活,那些无毛两足动物的生活。画作将以开裂告终。没关系。人们将马虎地修补它。人们将简单地拾掇好它。人们藏起它的性器,人们撑起它的胸脯。人们在它的屁股上插上一条大腿,就像对待德累斯顿的那幅乔尔乔内的维纳斯。它将熟知地下室和天花板。人们带着雨伞朝它冲过去和朝着它吐痰,就像对待都柏林的那幅鲁尔萨的画。如果这是一幅五米高、二十五米长的壁画,人们就把它锁进一间番茄温室,预先就想到了使用硝酸以使它的色彩更鲜艳,就像人们对待汉普敦宫的那幅曼特尼亚的《恺撒的胜利》。每当德国人没时间搬走它的时候,它就在一间被遗弃的车库里长出一层真菌。如果这是一幅朱迪特·莱斯特的画,人们就把它交给哈尔斯。如果这是一幅乔尔乔内的画,而且,如果仍然把它交给提香就太早了,人们就把它交给多索·多西(汉诺威)。贝伦森先生将对其表明看法。它将活下去,并喜气洋洋。

　　这解释了为什么博物馆里的画比个人家里的画气色好得多。

　　这解释了为什么那么多人的床头上放着巴尔扎克的无名的杰作。摆脱了人们评价的作品最终死于可怕的酷刑。被认为是纯创作的作品，其作用随着产生而终止，注定默默无闻。

唯一的一位收藏者（知识渊博的）有可能拯救它。这些先生中的独一无二的人，因为没有保障的热情而面颊干瘪，因为数不清的站立而平足，因为五十法郎的目录磨得手上起茧，他们先从远处看，然后在近处看，在特别棘手的情况下，他们用拇指去审查厚涂法的起伏。因为这里讨论的不是滑稽的、可以轻蔑的、幽灵缠绕着画室的动物，就像上个别辅导课的学生的幽灵，巴黎高等师范学生的陋室，而是不伤害人的疯子，他，就像别人去电影院一样去画廊、博物馆，直至带着希望去教堂——您听好了——带着享受的希望。他不打算增进学识，邋遢鬼，也不想变得更好。他只想着自己的愉悦。

正是他把评价绘画的现状当作公众事务的。

我将本文题献给他，如果可以让他更加神志不清。

他只图享受。不可能性可以用来阻止他。

不可能性尤其可以让他忌讳现代绘画的全部阶段。

不可能性可以让他选择，他拥护，他一眼就接受，他一眼就拒绝，他不再看，他不再认为有价值，当面对他本可以简单地爱上，或者认为难看，而说不出理由的一件作品时。

人家对他说：

"请您不要靠近抽象艺术。这是一伙骗子和无能者造出来的。他们不会干别的事情。他们不会画素描。而安格尔说过素描是艺术的诚实。他们不会上色，而德拉克洛瓦说过色彩是艺术的诚实。您不要靠近。一个孩子也能做同样的东西。"

就算是一些骗子，但是他们让他产生了愉悦，他对此会怎样呢？如果他们不会画素描，他对此会怎样呢？契马布埃会画素描吗？会画素描是什么意思？说孩子们也能做同样的东西，他对此会怎样呢？他们竟然做同样的东西。这可太好了。谁阻止他们这样做了？也许是他们的父母？或者是他们没有时间？

人家对他说：

"别为了写实主义画家、超现实主义画家、立体主义画家、野兽主义画家、驯养主义画家、印象主义画家、表现主义画家等等浪费您的时间。"每次人家都给出极好的论据。几乎就差对他说不要迷恋前塞尚派绘画的非常糟糕的时代了。

人家对他说：

"绘画领域中所有正确的，所有能留存下

来的,所有可以毫无顾忌地欣赏的东西都位于莱塞济①山洞直至法兰西画廊这条线上。"

人家没有详细说这是一条预定的线呢,还是如鼻涕虫的黏液那样逐步呈现出来的一条痕迹。人家没有对他细说他凭借什么迹象可以知道具体的一幅画属于这条线。这是一条看不见的线。这是偶然的一个纲要,它的方针呢?

人家对他说:

"只有具备能力的人有权放弃直接表达。畸形绘画是所有一事无成者的庇护所。"

权利!从什么时候起艺术家,像这样,失去了所有的权利,就是说,失去了任何权利?或许即将禁止他展出甚至工作,如果他拿不出若干年专业学校的证明。

一百五十年前,自由诗句和色阶用划一的哞哞叫致敬。

人家对他说:

"毕加索是好东西。您可以信赖地去看。"

可他将不再听得到荷马式的鼾声。

人家满怀善意地对他说:

"一切事物都是绘画的对象,不排除种种情绪,梦,哪怕是噩梦,条件是要用造型的方法表现。"

---

① 位于法国的多尔多涅省,有克罗马农遗址。

决定在或者不在上述那条线上的这些玩意儿在具体的一幅画里的使用或者不使用是偶然的吗？

知道人家所说的用造型的方法是什么含义不管怎样都是有用的，甚至是有利的。可是任何人永远都不知道。这是行内人才能觉察到的一件事情。

但是，我们假设定义是既定的，一劳永逸，以至无论哪个带着眼屎的人都可以高声说"太好了，方法是造型的"，同时也确定了只有使用造型方法的绘画是好的。在这种情况下，有可能放弃造型方法的艺术家会怎么说呢？

这下提出了广泛和深奥的现行美学问题，我谈论的是老家伙、超老家伙、超超老家伙和蓄意做老家伙的问题，他们的相互关系和分区的范围，以及一般说来需要的创造性缺陷的合法性，对不起，适宜性。

人家对他说：

"达利属于老家伙。他不会干别的。"

这才叫滴水不漏。人们先掐住，再剖腹。

配成对的评价此时繁荣昌盛。它们道破了评价者的问题。

我提出上述典型作为类型的范例。它简短、清晰，很平衡（先肯定，后否定），恰当的超验,对盎格鲁-撒克逊人很容易上口并且无可辩驳。就是说最迟应该在快到十五岁时开始辩驳。

为了根除这巨大的和恶意的误解,十卷让人作呕的分析都不算多,它这么长时间在思想领域上毒害了画家之间、收藏者之间、画家与收藏者之间的关系。

因为,如果不是达利,就是另外一个人,如果不是老家伙,就是另外的什么。

我们仅看一看,当我们同意老家伙有一种含义,而且达利,情愿或者不情愿地代表了衰落时出现的几个问题。

为什么他不故意做老家伙,如果他对此感兴趣?

我们能否设想老家伙和非老家伙聚到一起,老家伙帮助非老家伙?《伊利亚斯公主》①的散文如果没有韵文也会这样美吗?克洛德②的那些风景画真的没有得益于点景人物③吗?

我们怎么知道达利不会干别的事情?他就此签署了一份笔录吗?这就意味着他从来没有

---

① 莫里哀的五幕戏剧。
② Claude Lorrain(1600—1682),克洛德·洛兰,法国画家。
③ 指的是画面中的一些小人物,它们虽然不是中心人物,但是能活跃构图。

干过别的事情吗？而且为什么他没有从他最温柔的童年开始做老家伙，仅仅做老家伙，如果他对此感兴趣？

诸如此类。

这就是人家没有对收藏家说的极少的一部分。

人家从来没有对他说：

"没有绘画。只有一些绘画作品。"绘画作品不是红肠，既不香，也不臭。人们可以讨论的是绘画作品以或多或少的遗失所传达的东西，对印象不合逻辑的和神秘的冲动，是绘画作品与难以理解的内心紧张或多或少的贴切。说到您自己决定符合的程度时，这与此无关，因为您并不处在紧张之中。紧张本身大部分时间也对此不知。另外，这也是个没有价值的指数。因为失与得在艺术的合理布局上是等值的，在那里，您是所说内容的权威，缺席的任何在场。您永远也不知道您对一幅画作爱到什么程度（不管您怎么说，和严格意义上的为什么）。您或许永远也不会知道这个，除非变成一个聋子，并且忘掉您的学问。而且会出现这样的情况，在参观卢浮宫的时候，因为您将只去卢浮宫，您剩下的只有一段时间的回忆："面对帕特教授的微笑，站了三分钟，在那儿看着他。"

这就是人家从来没有对收藏者说过的那极少的一部分。这显然也和其他部分一样真实。可是，它改变了其他部分。

亚伯拉罕·范费尔德和赫拉尔杜斯·范费尔德的绘画（因为没有）在巴黎不知名，那就是不知名。他们却各自努力了二十年和十六年。

亚·范费尔德的绘画尤其不知名。他的画作可以说从来没有离开过画室，如果不算每年在独立展中的彻底晾晒。如今这些画作离开了长期的隐居所，崭露头角，如此清新，就像从首次亮相就一直受赏识、被接受和受贬低。

巴黎的任何展览，甚至小展览都没有展出过他们任何一位的画作。

相反，赫·范费尔德 1938 年在伦敦的青年古根海姆画廊举办过一次重要的展览。不可思议的机遇。他的许多画留在了英国。

他们主要在巴黎及其附近工作。亚·范费尔德也曾在科西嘉（1929—1931）和马略卡岛（1932—1936）短期驻留。

我差点忘记最重要的事情。亚·范费尔德 1895 年 10 月生于海牙。这是雾的瞬间。赫·范费尔德 1897 年 4 月在莱顿附近出生。这是郁金花的瞬间。

这之后只有激动的字面上的一次变形，甚

至是言语的一次屠杀，我清楚地知道，这些激动只与我自己有关。变形，与其说是一个情感的现实，不如说是这种现实在大脑留下的可笑印痕。因为，我只需要思考一下亚·范费尔德的画作曾给我的所有愉悦，给我的所有愉悦；思考一下赫·范费尔德的画作曾给我的所有愉悦，给我的所有愉悦，就足以让我感受到愉悦在一次千变万化的崩塌中脱离了我。

因而是一次双重的屠杀。

至于表现形式，它不可避免地像是一系列的必然命题。这是不自我表现的唯一方式。

首先，不应该把两个人的作品混在一起，这是完全不同的两种东西，两个系列的东西。它们两者越来越背离。他们两者将越来越背离。就像两个人从夏蒂雍门出发，不大认识路，依靠经常的停靠给自己鼓劲，一个去云雀乡野街，另一个去天鹅岛。

其次，应该抓住他们的共同点。他们相似，两个人走向同一个领域，在众多躺着的人、坐着的人和一起被运输的人中间。

我们先谈谈老大。在俩人之间，他的独创性远非能够轻易抓住，也不是最辉煌的。赫·范费尔德的绘画极其暧昧，通过人们感觉是防卫性的辐射发生作用，具有天文学家所说的一种脱离的高速度（错误不在此限）。而亚·范费尔德的绘画似乎被凝固在荒芜的月球上。失去了空气。

我夸大了。

我主要想着最新的几幅画，赫·范费尔德刚刚从南方带来的那几幅，亚·范费尔德画于1940年至1941年间的那几幅（此后他就什么都没有画）。反差比十年前小了。但它已经一目了然。

角色的这种分配是最出乎意料的事情。一切都让人预测相反的事情。我真担心我们趋向的其实应该是把角色对调的客观现实，为了担心协调的任何观念。

这种在虚空中的事物的感觉源于哪里？源于方法？这就好像说蓝色的印象源于天空。让我们探索一个更广阔的领域。

我们在亚伯拉罕·范费尔德那里接触到统觉的一种力量，这种力量具有非常专一和粗暴的艺术价值，而我们这些人的思考完全是窃窃私语式的，很难理解这种力量，只有把它拖向某种句法的轮舞时，把它放在时间中才能理解。

（我清楚地放在括号中强调，我不止一次目睹了这些画作在诚意的观众那里产生的令人奇怪的效果。这些画作让观众丧失了说话的机能，即使是最即时的评论。这完全不是一种大惊失色的沉默，不是最终仍然以色彩结束的雄辩的反驳的评价。这是，我们几乎说是一种契合的沉默，就像人们看一部默片，保持沉默，同时自问为什么。)

写下纯视觉的统觉就是写下一个无任何含义的句子。当然。因为，每次我们想让词语去做一次名副其实的转换工作，每次我们想让它们表达除词语外的其他东西，它们就因为相互抵消而僵持不下。或许，这正是把整个美丽交给生命的什么东西。

因为这绝不是一次意识的捕获，而是一次视觉的捕获，一次很短的视觉的捕获。很短！而且是在只是偶尔让自己被看到的独一无二的场中的一次视觉的捕获，这独一无二的场并不总是坚持不被人知，它偶尔与无视任何非表象物的忠诚者合拍：内心的场。

完美的，不可互换，被时间的作者夺取时间的空间和实体，在时间的工厂里不受时间的侵袭（时间在圣心中度过白天，以便无须再看到它），这就相当于巴比松和佩鲁贾的天空。另外，从某个意义上讲，这就是结局。

鸟掉了下来，曼托①沉默不语，忒瑞西阿

---

① 忒瑞西阿斯的女儿，善做预言。

斯①不知道。

不知道、寂静和静止的苍天，这就是谜底，最终的谜底。

对于某些人。

种种表现艺术一直热衷于什么？希望在表现时间的同时留住时间。

不管是飞，是跑，是河流，是箭镞。不管是下落，是上升。不管是烟。我们甚至有小便的尿水柱（造物主的母山羊），光阴飞逝的出色的象征。

我们对此的认识永远不够。

但或许到了客体从这儿，那儿，退出所谓的可见世界的时候了。

"写实主义者"，面对他的断断续续的画面满身大汗，咒骂云彩，曾不住地令我们喜出望外。可是，但愿他别再用他那些客观性的和可见事物的故事让我们讨厌了。在所有任何人都没有见过的事物中，他的那些断断续续的画面无疑是最了不起的。可是，如果存在一个人们最好不谈客观性的地方，那就是他在他的遮阳帽下面耕作的地方。

亚·范费尔德的绘画首先是对悬停的事物的一种描述，我乐于说是静态的，理想的静态

---

① 希腊神话中忒拜城的盲人占卜者。

的事物，如果这个术语没有这么多不恰当的关联。也就是说我们在画中见到的事物不再仅仅是被表现为悬停，而完全是真实凝固的事物的本来面貌。这是独立于看它的需要，独立于看的需要的单独事物。在虚空中静止的事物，这就是可见的事物，纯粹的对象。我没有见到其他东西。

脑颅是这物品的专利。

时间有时就在那儿打瞌睡，就像最后一盏灯熄灭时电表的转轮。

正是在那儿，我们终于开始在黑暗中看到。在不再惧怕任何黎明的黑暗中。在本身就是一个固定的大地，一个空荡荡的天空的黎明、中午、傍晚和夜的黑暗中。在照亮了思想的黑暗中。

正是在那儿，画家可以安静地眨眨眼睛。

我们离创造自己对象的绘画的著名"权力"还很远。呼唤这种大胆行动的是户外空间。

离超现实的田舍风俗画也很远。

离绘画批评的主流学派的工具很远——对象的批评，方法的批评，目标的批评，批评的批评，而我还仅仅热衷于这些批评的锡耶那人的豪爽。

从前有一个人，大家叫他伟大的托马

斯……

在这种不可思议的客观性之外寻找亚·范费尔德的原创性是没有意义的，因为全部其余的事都附属于此，当然不是作为结果，也不是作为效果，而是从同一个时机杀死效果的意义上说。我说的是这种绘画表现的未经推理、质朴、非组合、没有过分雕琢的所有东西。

不可能对唯一性推理。建立在推理上的绘画，每一笔都是一次综合，每个色调都是从无数色调中推举出来的，每一根线条都是象征符号，最终以省略三段论的拐弯抹角结束的绘画。这是蝴蝶的静物画。这是工作台上的缝纫机。这是同时从正面和侧面见到的面孔。这或许也是后背长乳房的女人，尽管这不是肯定的。它以自己的方式制造杰作。

不可能企望其他未知事物，最终见到的未知事物，它的中心随处都是，什么地方都不是边界；既没有可以让它停止的唯一因素，也没有可以让它停止的目标。因为它涉及的正是不再看见这种令人爱慕、令人着迷的事物，涉及回到时间中，回到失明中，百无聊赖面对永不静止的虚幻的漩涡，在杨树下打战。人家用唯一可能的方式把这种事物展示出来了。

不可能在本原中整理。

人们展示它或者不展示它。

臆测的绘画赋予他方法。他没有受这种方法过多的控制。亚·范费尔德自己对这种方法进行了调整。我们仍然感觉到它的来历。他让工具适合工作的需要，他的工作完全不是臆测。

布拉克作品的相似性在对使用的手段进行造型的沉思。由此产生这种假设的奇特感觉。定义总是为了明天。似乎这个评语大部分，而不是小部分，都符合人们称为有生命力的现代绘画。

在亚·范费尔德那里没有这种事。他断言。甚至还不是。他确认。他的方法具有一架窥镜的特性，只因为它们的功能而存在。他对怀疑这些方法不十分关心。他只关心它们所反映的东西。

我们在这里触及某个基本的事物，它可以让人根据某种确切存在的东西抓住从塞尚以来，与既往历史割断的全部绘画（和绘画希望与之发生关系时已经丧失的时间）和亚·范费尔德的绘画脱离绘画根据的某种东西。

艺术崇尚飞跃。

从这种全面的精确转入赫·范费尔德的绘画，就是从《戴头盔的男人》[1] 转入《代尔夫

---

[1] 荷兰画家伦勃朗的作品。

特风景》①,从西斯廷小教堂转入凉亭(我比较一些关系)。

这是一个困难的过渡。

该怎么说这些滑动的平面,这些跳动的轮廓,这些如同在雾中被剪裁的实体,一个虚无应该打破的一些平衡,那些被打破而随着人们看又重新建立起来的平衡?如何谈论这些呼吸的、喘息的色彩?这攒动的凝滞?无重量、无力量、无影子的世界?

这里一切都在动,在浮动,在逃去,在返回,打破自己,重构自己。一切停止,没有停止。简直就是分子的暴动,一块石头的内部在瓦解前的千分之一秒。

对,是文学。

最好不要在同一天展示这两种看见和描绘的方法。至少在最初时刻。

我们更粗鲁地着手这个事物。我们以滑稽可笑告终。

亚·范费尔德描绘时间的长度。

赫·范费尔德描绘时间的连续。

因为,在可以看到长度之前,更重要的是在可以表现的长度之前,必须让长度停滞,亚·范费尔德放弃了自然长度,像一个陀螺般

---

① 荷兰画家杨·维米尔(1632—1675)的作品。

在太阳的鞭策下旋转的长度。他理想化这个长度，使它成为一个内感。而恰恰是理想化它的同时，他可以通过这个客观性，这个前所未有的直截了当把时间长度具体化。他的首创正是在那儿。他全靠一种趋向极端的清楚看到的需要而得到这个时间长度。

赫·范费尔德相反，完全转向外部，转向光线下的事物的混沌，转向时间。因为人们只有在被时间搅动时，在时间妨碍看到的事物中认识时间。只有完全投身外部，揭示被时间的嘀嗒声摇动的大宇宙，他才能坚定不移地在确信既没有现在也没有静止的时间中实现自我，实现人——如果我们喜欢这个说法。这是这条河的描绘，根据赫拉克利特朴素的估计，这条没有人进过两次的河。

这是让人记住死亡的一个滑稽，赫·范费尔德的绚丽的绘画。我顺便提一下。

与停住的手表的画没有任何联系。手表的画，因为在诗篇的作者的永恒中已经每天拨给睡莲两分钟，认为已经止住地球的转动，更不用说那些更小的星球的令人讨厌的手足乱动。在赫·范费尔德那里，时间在小跑，他用某种违反自然的浮士德的疯狂去刺激时间。

"这就是我们。"赫·范费尔德的那些画说。它们还说："这是一个运气。"

何况,这是对一种非常宁静和一种非常柔和的描绘。无疑,我完全看不懂。它不出声音。亚·范费尔德的画发出一种非常有个性的声音,远处关门的声音,破门而入的低沉的不大的声音。

俩人的作品总体上似乎相互驳斥,其实它们进退两难的内心是一致的,造型艺术本身的进退两难:如何表现变化?

他们都曾以各自的方式拒绝转弯抹角。他们既不是音乐家,也不是作家,更不是美容师。对画家而言,事情是不可能的。另外,正是在对这种不可能性的表现中现代绘画从他们出色的效果中吸取了一大部分。

但是,他们俩对于从造型方面利用一种无出路的造型的境况,都没有什么必须的东西。

其实,他们对绘画不感兴趣。他们感兴趣的是人类的状态。我们回到前边的话题。

如果他们放弃表现变化,还有什么可以表现的吗?在变化之外,还存在什么值得表现的东西吗?

给一个人留下的是经受的事物,变化的事物;给另一个人留下的是让人忍受的事物,使发生变化的事物。

两个事物,一个源自施虐者,另一个源自受虐者,在分离中,最终变得可以表现,等待形成。这还不是事物。这将变成事物。的确。

这是两种完全不同的姿态,而匆匆忙忙以反命题的形式被建立起来的前提历来就让心理学感到棘手,从 dyskoloi 到 eukoloi。① 它们源于同一个体验。这正是迷人处。不是吗?

分析这种分歧,即使什么都解释不了,或许有助于让两个人的作品面对面摆在一起。分析尤其可以阐明他们在风格上表现出的差异,如果人们希望避免建立一种表层的对照就必须深入了解差异。我们实在不能过于强调这个事实。这种类似绝对草率的、狂妄的、漫不经心的东西,极端手段的这种轻蔑使用,在老大身上非常好地传达出内部目光的急迫和至上,在老二身上却会变成无法挽救的错误。因为老二不与单独的事物,不与和所有东西切断联系从而使自己成为一个沉沦的简单标本的事物打交道,我们说,与同自己本身有联系的事物切断联系,事物的脱浅明确要求这种控制和麻烦的混合,他打交道的是一个复杂得多的对象。确切地说,与其说是一个对象,不如说是一个过程,尖锐得以至他获得了幻觉的,或者迷醉的一个稳定性的感觉到的过程。他总是与复合体

---

① 这两个词皆源自希腊语,dyskoloi 意为"难",eukoloi 意为"易"。

打交道。这不再是自然的复合体,蜷缩在每日的沉闷的闪烁中,而是一直对峙的这些同样的基本因素。面对这个不可穿透的块,亚·范费尔德为了释放他需要的东西骗过了它。对另一位来说,这种解决方式已经提前被排除了。

这两件事物应该一直结合在一起。因为人们只有通过相继的一些状态表现演替,同时把一个非常快的滑动强加给这些状态,以至状态最终融合在一起,我几乎要说这些状态在演替本身的图像中最终稳定了。逼迫种种外部事物固有的不可见性直至这个不可见性本身变成事物,不是简单地意识到的界限,而是一件人们可以看见,可以让人看见的事物,而且不是在脑袋里做这件事(画家们没有脑袋,应该从画稿上看,或者从别处看,在我嘲弄他们的地方),而是在画布上,这就是带有异常复杂性的一件工作,它需要一种极端灵活、轻盈的技巧,一种暗示多于显示的技巧,这技巧只有靠瞬间的明了和非常实在的、唯一确实的、超过限度的时间的辅助部分才是有效的。

在这些涂鸦的后面,有没有为了骗人眼睛的秘诀的深厚功底?他们不使用圆规能画出彩虹吗?借给,我说什么呢,赋予雨中的一匹脱缰的马生动的屁股了吗?我从来没有问过他们。

范费尔德兄弟的绘画有其他的秘密，根据前人的方法很容易缩减（为无效果）的秘密。但我没有说全部失去。

我不是不知道这样的发挥会显得多么随意、粗略，几乎不符合原景和原物，从图像到图画。让它们更有分寸，更有说服力的外表，大量使用保留意见和细微修正或许也不是不可能。但是没有必要。

另外，这些与画家们所做的事情，或者认为做的事情，或者希图做的事情从来就没关系，而仅仅是我所看到的他们做的事情。

我坚持重复这一点，害怕人们把他们看成理性的猪。

可是，人们不能设想比这种绘画更少理性的绘画了。

特别是亚·范费尔德。他应该在约十年之后开始懂得他所做过的事情。我们要明白。每次他知道这东西行了，就像一条深海的鱼停在合适的深度那样，但是道理并没有对他解释为什么行了。

这对赫·范费尔德来说似乎也是恰当的，他以种种保留（好，问题就在这儿）让他的非常不同的进攻给人以假象。

他们让我想到塞万提斯笔下的那位画家，当人家问"您画什么"时，他回答："画我笔下流出来的东西。"

作为结束,我们谈谈另一码事,谈谈"人"。

此处是一个词,或许也是人们给大屠杀时期保留的一个概念。需要瘟疫、里斯本和一个重要的宗教的屠宰场,以便人们想到相爱,想到给身边的园丁和平,想到做简单主义者。

这是如今人们以前所未有的热情相互投掷的一个词。简直就是达姆弹。

这东西以一种完全特殊的表达力倾泻在艺术界。很遗憾。因为艺术似乎并不需要灾难来使自己发挥作用。

混乱已经够大了。

一句"这是非人性的"就包罗万象了。扔进垃圾箱。

明天,人们将要求猪肉店必须是有人性的。

这一点关系都没有。大家照样习惯。

真正可怕的是艺术家自己牵扯进去。

诗人说:我不是一个人,我只是一个诗人。赶紧让爱同带薪假期押上韵。

音乐家说:我让加了弱音器的小号表现汽笛。这更有人性。

画家说:人人皆兄弟,前进,一具可爱的小尸体。

哲学家说：普罗泰戈拉①有理。

他们恐怕五十年就可以毁掉我们的诗歌、音乐和思想。

尤其是我们不对此提出异议。

您接受过得去的存在物吗？给它一点蓝色。给它一个哨子。

您对空间感兴趣？我们撕破它。

时间让您忧虑？我们一起杀死它。

美女？男人和解。

善良？掐死。

真实？最大的屁。

愿这绘画在这个集市里变得孤独，头上戴着帽子的寂静的孤独，伸出双臂的寂静的孤独。

这绘画，其最小的部分包含了比所有朝着圣绵羊的一种幸福前进的祭祀行列更真实的人性。

我推测这绘画将被乱石击毙。

这里有生命的永恒的条件。这里有生命的代价。对辨认出这些条件的人是不幸的。

总之，我们或许将满足于嘲骂。

无论怎样，我们将回到这个话题。

---

① Protagoras（约公元前490—前420），希腊智者派哲学家。

因为,我们仅仅让人开始对范费尔德兄弟的绘画胡说八道。

我开了头。

这是一种荣幸。

《世界与裤子》写于1945年初,亚伯拉罕·范费尔德和赫拉尔杜斯·范费尔德分别在五月画廊和梅格特画廊举办画展之际。

文章首次发表于《艺术手册》(*Cahiers d'Art*)第20—21卷,1945—1946。

镇静剂

涂卫群 译

我不再知道我死于何时。我过去一直觉得我是老死的，快九十岁时，多大的岁数呀，有我的身体做证，从头到脚。但今晚，独自躺在冰冷的床上，我感到我将会比白天、黑夜还要老，那时天空全部的光线降临在我身上，还是我老看的那个天空，自打我在遥远的土地上漂泊。今晚由于过于害怕，我不敢听着自己溃烂，不敢等着心脏红通通的大崩溃、堵死的盲肠的绞痛；害怕在我头脑中完成漫长的谋杀、对坚不可摧的柱子的袭击、同尸体的爱情。于是我将给自己讲个故事，于是我将努力给自己再讲个故事，以努力镇静下来，并且就在那个故事里我感到我将会很老很老，比我跌倒、求救并得到救援的那一天还要老得多。或者是否有可能在这个故事中，我死后重返地面。不，死后重返地面，这不像我干的事。

　　我不在任何人家里，怎么又动弹了呢？有

人把我赶出门了吗？不，那时没有任何人。我看见一处洞穴样的东西，地上丢满罐头盒。然而这不是乡村。也许只是片废墟，也许是片游乐场的废墟，在城郊，在一片田里，因为田野一直延伸到我们的墙脚下，他们的墙，夜里母牛躲在旧城墙里睡觉。在我的溃逃中，我换了那么多的藏身处，瞧，这会儿我混淆了洞穴和瓦砾。但那一直是同一座城市。的确，人常在梦中行走，空气被房屋和工厂熏黑，可以看到有轨电车驶过，而在你那双被草浸湿的脚下，突然出现了石板路。我只认得我童年的城市，想必见过另一座，但无法相信。我说的一切互相抵消，到了我什么都没说。那时我只是饿了吗？天气诱惑了我吗？天气多云而凉爽，我要它那样，但还没到吸引我外出的程度。第一次尝试我没能站起来，第二次呢也没成，而一旦最终站起来，靠着墙，我寻思我是否能待住，我是说站着，靠着墙。外出和行走，不可能。我讲起来好像那是昨天的事。昨天确实很近，但还不够。因为我今晚讲的发生在今晚，在这流逝的钟点。我不再待在这些杀人犯家，在这恐怖的床上，而是在我遥远的藏身处，两手缠握在一起，歪着头，虚弱、喘息、镇静、自在，比我可能达到的更老，要是我算得对。但是我将用过去时来引领我的故事，仿佛这关系到一个神话或一个古老寓言，因为今晚我需要另一个年代，需要让那我成为我的年代变成另一个年代。咳，我才不在乎什么时态，下流坯，不在乎你们的时态。

但渐渐我出了门并开始行走，一小步一小步，在一片树林中，瞧，一片树林。芜杂的植物蔓生到从前的小路上。我靠在树干上，以喘口气，或者，抓住一根树枝，拽着向前。我上次走过的痕没有留下。这是多比涅的正在死亡的橡树。这不过是个小树林。树林的边缘已近，一道不那么绿的、似乎有点褴褛的光这样说，低声地。的确，不管人在哪里，在这小树林中，哪怕在它最深处的可怜的秘密中，到处都可以看见闪耀着这道更暗淡的光，不知是哪种愚蠢的永恒的证据。没有太多，有一点痛苦地死去，值得一试，面对失明的天空自动合上凹陷的眼睛，然后很快变成腐尸，免得乌鸦上当。这便是淹死的好处，好处之一，螃蟹总不会来得太早。这一切都是筹划问题。但奇怪的是，最终出了林子，漫不经心跨过环绕它的壕沟之后，我突然想到了残酷，含笑的那种。在我面前铺展开一片茂盛的牧草，也许是些苜蓿，谁又在乎，草上滚动着夜露或新雨。在草地的尽头，我知道，是条路，然后是块田，然后最终是些城墙，它们挡住了视野。这些城墙，庞大而呈锯齿形，淡淡地呈现在比它们稍许清晰的天空的背景上，看上去并未倒塌，从我的角度看，却是倒塌了的，我知道。这就是呈现给我的场景，毫无用处，因为我了解它并厌恶它。我看到的是一个穿栗色礼服的秃顶男人，一个讲笑话的人。他在讲一个滑稽故事，关于一次惨败。我一点儿都没听懂。他说出蜗牛一词，也许是鼻涕虫，令众人十分开心。女人们似乎比她们的男伴更高兴，如果可能的话。她们尖厉的笑声冲破掌声，掌声平息后，笑声仍不断从这里或那里爆发出来，直至搅乱了下面故事的开场白。她们也许想到了特约阴茎，谁知道呢，坐在她们边上的，她们从这甘美的海岸传送出欢快的叫声，朝着那喜剧性的风暴，何等的才能。但今晚应有什么事发生在我身上，在我的身体上，就像在神话和变形记中，有什么事发生在这从不曾，或很少遇到什么事情的老身体上。从不曾遭遇、爱慕、欲求过任何东西，在它那镀了锡的世界，镀得不好，什么都不曾欲求过，除了镜子崩裂，平面的、曲面的、放大的、缩小的，而它本身消失，在它自己的影像的碎裂声中。是的，今晚应该如同在我父亲给我读的故事里那样，一夜又一夜，在我小时候，而他身体尚好之际，为使我镇静下来，一夜又一夜，在好多年里，今晚我觉得是这样,而故事我已记不清了,除了它是关于一个叫乔·布里姆,或布里恩的人的历险,灯塔守护人的儿子,一个十五岁的年轻矫捷的小伙子,强壮而肌肉发达,这便是原话,他游了几海里,在夜间,齿间衔着把刀,去追踪一条鲨鱼。我忘了是为什么,出于纯粹的英雄气概。这个故事,他本可以直接讲给我听,他已牢记在心,我也一样,但这不会使我镇静下来,他必得给我读,一夜又一夜,或假装给我读,一页一页地翻并给我解释那些图画,它们已经是我,一夜又一夜同样的图画,直到我靠在他肩上昏昏入睡。如果他跳过了故事中的一个字,我一定会捶他,用我的小拳头,捶他那从毛背心和解开扣子的裤子里凸出来的胖肚子,脱下办公制服,穿上这身便服使他放松。现在轮到我出发、拼搏,也许还有回归,轮到今晚是老人的我,比我父亲曾达到的更老,比我自己将达到的更老。这下儿我被逼入将来时。我穿过牧场,迈着僵硬同时又是怠惰的小步,我只能走这样的步子。我上次走过的痕迹荡然无存,离我上次走过为时已远。压伤的小树枝很快重新站起来,因为需要空气和阳光,至于折断的则很快被取代。我通过所谓的牧羊人之门进入城市,没见到一个人,只有最早的一批蝙蝠,像是些飞翔的上十字架者,没听见任何声音，除了我的脚步，我胸腔中的心脏，最后还有，当我从拱门下走过，一只猫头鹰的凄厉的叫声，这叫声既如此温柔又如此残忍，在夜里它呼喊、应答，在我的小树林和其他邻近的树林里，一直传到我的茅屋，如同一声警钟。随着我逐步深入，城市冷清的面貌令我震动。它和平时一样被灯火照亮，甚至超过平时，尽管商店关了门。但橱窗仍保持灯火通明，其目的无疑在于吸引顾客并致使他说，瞧，真够漂亮的，也不贵，我明天再来，要是还活着的话。我差点儿对自己说，瞧，今天是星期天。有轨电车在行进，还有公共汽车，但不算多，慢腾腾的，空无一人，悄然无声而且如同在水下。我连一匹马都没看见！我穿着绿色绒领大衣，那种1900年开车的人穿的大衣，我父亲的大衣，但那天它已没了袖子，它不过是件宽大的斗篷。但穿在我身上它总是死沉死沉的，没有暖意，它的垂尾扫着地，更确切地说，刮着地，它们变得如此僵硬，而我变得如此矮小。我将、我能遇到什么事，在这座空城里？但我感到那些房子快要被人挤破了，他们潜伏在窗帘后面朝街上张望或者坐在房间深处，双手捧着头，沉入冥想。高处屋顶上，挂着我的帽子，总是同一顶，我去不了更远了。我横穿整个城市，沿江而行直至江口，来到大海面前。我一再说，我要回去了，但不大相信。港口里的船只，停泊着，由缆绳固定在海堤上，看上去并不比平时更少，好像我知道平时是怎么回事。但岸上冷冷清清，没有迹象表明船只会在短时间内有任何动静，启程或返航。但一切随时都可能改变，转瞬间在我眼皮底下改变形态。这将是些海上的人与事的忙碌，大船桅杆的难以觉察的轻摇和小船桅杆的更具跳跃性的晃动，我坚持这一点，我将会听见海鸥可怕的叫声，也许还有水手们的叫声，这似乎是茫然的叫声，人们难以确认它是悲哀的还是欢快的，它包含着恐惧和怒气，因为那些水手，他们不仅属于大海，还属于陆地。而且我也许可以溜上一条正要起航的货轮，不为人知地去到很远的地方，沐浴着阳光，平安地过上好几个月，也许甚至一两年——在死之前。在这嘈杂的、看破一切的人群中，要是我不能经历一场小小的能使我稍许镇静下来的巧遇，或是同一位航海家之类的人交换上几句话，几句我可以带上，带回我的茅屋，以便添加于我的藏品中的话，到不了这一步可真是活见鬼。于是我等着，坐在一架无盖的起锚机上，对自己说，今晚人们总不至于连起锚机都不用一用吧。我仔细观察远处海面，直到防波堤外没有看到任何小船。夜已降临，或几乎降临，我看见水面上有些亮光。港口漂亮的航标灯，我也看见了，远处的航标灯，在海岸上、岛上、岬角上眨眼。但没见任何生机出现，我准备走开，伤心地离开这死寂的小港口，因为有些场景迫使人与之进行离奇的道别。我只消低下头并注视我脚下、脚前的地面，因为我总是以这种姿势来吸取力量以便……怎么说呢，我不知道，是从地面而非天空，尽管天空名声更好，我得到援助，在困难的时刻。就在那儿，在石板上，我没有盯着它，因为盯着它干吗，我看见远处的小港口，在最险恶的黑色浪涛中，还有我周围的风暴和船只遇难。我绝不再回这里，我说。但正当我用手支撑着起锚机边缘站起身，我发现自己面前有个牵着母羊的一只角的少年。我重又坐下。他默不作声，表面上既不害怕也不厌恶地看着我。不错，天色阴暗。他默不作声我觉得很自然，应由我这位长者先开口。他光着脚且衣衫褴褛。是这一带的常客。他走入岔道，前来弄清船坞边扔的这堆黑乎乎的东西是什么。我是这样推论的。现在离我这么近，用他那小流氓的眼睛扫上一眼，他不可能不明白。然而他待着不走。这种卑鄙念头，真是出自我吗？受了感动，因为毕竟，从某种意义上说，我想来是为此而出的门，对随后可能发生的事仅指望少许收益，我决定同他讲话。于是我遣词造句并开了口,以为会听到自己的话,但我只听见一声嘶哑的喘息,甚至对我这样知道自己意图的人来说都是难以理解的。但这没什么,不过是长期沉默导致的失音症,就像在地狱洞开的小树林里那样,您还记得吗?我恰巧记得。他呢,没有松开母羊,径直来到我对面并递给我一块糖,装在一个圆锥形纸包里,就像花一便士就能买到的那种。至少有八十年没人给过我糖了,但我贪婪地接过它并放在了嘴里,我重又找到以前的动作,越来越激动,因为我坚持要这样。糖块黏在了一起,我难以用我颤抖的手,把第一块、绿色的那块同其他糖块分开,但他来给我帮忙,他的手轻轻触到我的手。谢谢,我说。片刻过后当他牵着他的母羊离去时,以我整个身体的强烈动作,我招呼他留下,我说,用一声狂热的低语,你这是去哪儿,我的小家伙,带着你的小羊羔?这个句子刚说完,我满脸羞愧。而这正是我刚才想说出的那个句子。你去哪儿,我的小家伙,带着你的小羊羔!假如我还知道脸红的话,我会让它红的,但我的血已流不到头脚。假如我兜里有一个便士的话我会给他的,以求他原谅,但我兜里一个便士也没有,也没有任何类似的东西,没有任何能够给这初涉人世的小可怜以乐趣的东西。我相信那一天，可以说没有预先考虑便出了门，我身上只带着我的石头。关于他的小身体，我将只会看到他鬈曲的黑发和他那赤裸的、肮脏而肌肉发达的长腿的漂亮轮廓。还有手，凉爽而灵敏，我还不至于忘记。我寻找另一句可以对他说的话。我找到时已太晚了，他已走远，噢，不远，但走远了。也走出了我的生活，他静静地离去了，再也不会为我动任何念头，除非也许等他老了，当他竭力回忆他的少年时代，他会重新找回这愉快的一夜，他仍牵着母羊的一只角并仍在我面前停留片刻，这一次，谁知道呢，也许带点温存，甚至带点嫉妒，但我并不指望这个。可怜的亲爱的兽类，你们本可以帮我的。在生活中，你爸爸是干什么的？这是我本该对他说的，假如他给我些时间的话。我的视线追随着母羊的后腿，瘦削的、罗圈的、叉开的后腿，由于阵阵突发性的反抗而抖动。很快它们便成为没有细节的一小堆东西，要不是我预先知道，我会把它们当成一只年幼的半人半马怪。我要让那母羊拉屎，然后捡起一把很快就会变冷变硬的小圆球，闻一闻甚至尝一尝，不，今晚这不会帮我的。我说今晚，好像总是同一个晚上，但有两个晚上吗？我走开了，想要尽快回家，因为我并非完全空着手回家，我重复道，我再也不回这里。我腿疼，情愿每一步都会是那最后的一步。但我溜向橱窗的快速而像是偷偷摸摸的眼神,向我显示出一只被飞速抛出的巨大的圆筒,它似乎要滚上马路。想必我走得确实很快,因为我赶上不止一个步行的人,这是最早的一批人,我没费很大力气,而平时连震颤麻痹患者都能超过我,因此似乎在我身后,脚步停了下来。然而我每迈出的一小步都情愿是最后的一步。以至于,当到达了一个我来时未曾注意到的广场时——广场深处矗立着一座大教堂,我决定进去,如果它开着,藏到里面,就像在中世纪,待上一会儿。我说大教堂,但我一无所知。但这会使我痛苦,在这想要作为最后一个故事的故事中,躲避在一个普通的教堂里。我注意到它那萨克森的、改变了平衡的构架,效果迷人,但并不使我着迷。被照得亮如白昼的中殿,似乎冷冷清清。我转了几圈,未见一个活的灵魂。他们也许藏起来了,在祭坛祷告席的下面或绕着柱子转,像绿啄木鸟那样。突然在离我很近的地方,我没有听见长时间的预备性的吱嘎声,管风琴开始轰鸣。我从自己躺的、祭坛前的地毯上一跃而起,跑到中殿的尽头,仿佛我要出去,但那不是中殿,而是一条侧廊,而那吞下我的不是正门。因为我没有被送交黑夜而是来到一个螺旋式楼梯的底部,我开始甩开腿往上爬，失魂落魄，像是个被杀人狂紧追不舍的人。这楼梯被微微照亮——我不知是什么，也许是通风窗——沿着楼梯我气喘吁吁，一直爬到位于其顶端的一个凸出的平台上，平台悬空的一边配备有一道讽刺的栏杆，平台则环绕着一堵光滑的圆形的墙，墙的上端是一个覆盖了一层铅或铜绿的小圆顶，喔唷，我只求它清楚。人们想必来此饱眼福。众所周知，从这么高的地方摔下去的人还没落地就会死去。紧贴着墙我开始绕着它转，沿顺时针方向。但我刚走了几步便碰到一个朝另一方向转的男人，他谨慎到极点。我真希望我把他，或他把我猛推下去。他神色惊慌地盯着我看了片刻，然后，不敢从栏杆那边超过我，又正确地预见我不会为了讨好他而闪身离开墙壁，他突然朝我背过身去，更确切地说，扭过头去，因为他的背仍然紧贴着墙壁，并朝他来的方向返回，这使他在短时间内只剩下只左手。这只手犹豫了片刻，然后滑动着消失了。留给我的只是格子鸭舌帽下面那双瞪大的、火辣辣的眼睛的意象。我这是陷入了何种怪样的恐怖？我的帽子飞了出去，但没跑多远，亏得有根带子。我扭头朝楼梯那边看。什么都没有。然后一个小女孩出现了，跟着一个男人，他牵着她的手，两人都紧贴着墙壁。他把她推入楼梯，自己也跟着沉落下去，转过头并向我仰起一张令我后退的脸。我只看见他的头，光着的，在最后一级台阶上部。后来，当他们离去，我呼救。我很快围着平台绕了一圈。一个人都没有。我朝地平线望去，那里天空山脉、大海和平原相遇，我看见几颗低垂的星星，别把它们同人们夜间点燃的火光，或自燃的火光混为一谈。够了。再次来到街上，我找自己的路，对着天空，我熟知那里的大熊星座。假如我看到什么人，我肯定走上去和他搭讪，最残酷的外貌都不会阻止我。我会对他说，手碰碰帽子，对不起先生，对不起先生，牧羊人之门，发发慈悲吧。我以为我再也不能朝前走了，但这一冲动刚传到腿上，我的身体又前去了，上帝呀，以一种相当快的速度。我并非完全空着手回家，我带回家那近乎无疑的确信，我仍属于这个世界，从某种意义上说，也属于那个世界，但我为此付出了代价。我本该在大教堂里过夜，在祭坛前的地毯上，我本该天蒙蒙亮时重新上路，或者人们会发现我僵直地躺着，进入真正的肉体的死亡，在那作为如此之多的希望之源的蓝眼睛的注视下，并且人们会在当晚的报纸上谈论我。但这会儿我奔下了一条宽阔的、隐隐约约有点熟悉的大路，这大概是我活着时从未涉足过的地方。但我很快意识到我正在下坡，我转身朝相反方向出发了，因为我担心朝下走会回到大海，我曾说过再也不回那里。我转过身，但其实我画了一个宽大的圆圈，同时并未减慢速度，因为我担心一停下来就再也不能出发了，对，我也担心这个。今晚也一样，我再也不敢停下来。街道的亮度与其冷清的外表之间的反差越来越触动我。说我因此而焦虑，不，但我还是这样说了，以期使我镇静下来。说街上没有一个人，不，我还不至于走到这一步，因为我注意到好几个身影，有女人的也有男人的，奇特的身影，但并不比平时更奇特。至于当时的时间，我没有任何概念，除了应是夜里的某个钟点。但有可能是凌晨三点或四点，正像有可能是夜里十点或十一点，这大概是根据人们会惊讶于行人的稀少或者路灯与交通灯所投射的不同寻常的光亮。因为应该对这两种现象中的这种或那种感到吃惊，否则就意味着失去理性。一辆私人汽车都没有，但不时有辆公共交通工具，缓慢移动的无声与空寂的光的龙卷风。我悔不该强调这种种矛盾，因为我们显而易见是在一个大脑中，但我有责任补充下列几点评注。我看见的所有凡人都是孤独的并好像沉陷于他们自身。这我们每天都会看到，但与其他事情交织在一起，我设想。那唯一的一对由两人组成，他们正身贴身腿缠腿地搏斗。我只看见一个骑自行车的人！他和我朝同一方向走。所有人都和我朝同一方向走，车也如此，我刚刚意识到这一点。那人在马路中间慢慢骑，他正在读一份报纸，他用两手将报纸平摊在眼前。他不时摇摇铃，但仍继续阅读。我的目光尾随着他，直到他成为地平线上的一个点。在特定的时刻，一个年轻女人，也许是个轻佻女人，她头发蓬乱，衣衫不整，像兔子一般飞快地穿过马路。这便是我想补充的一切。但奇怪的事儿，还有一桩，我哪儿都不疼，连腿都不疼。虚弱。一个十足的噩梦之夜或一罐沙丁鱼就会使我恢复敏感。我的影子，我影子中的一个，跃到我的前面，它变短，滑至我脚下，以影子的方式跟随我走。达到了这种晦暗度，我觉得应是结论性的。但这会儿在我面前出现了个男人，在同一条人行道上，并和我朝同一方向走，还得唠叨同一件事，免得忘记。我们之间距离不小，至少七十步，由于担心他会溜掉，我加快脚步，这使我朝前飞奔，就像穿着冰鞋。这不是我，我说，但让我们利用吧，利用吧。眨眼工夫距他只有十来步了，我放慢脚步，以便不至于增加因我这样粗暴地出现，我的外貌哪怕在它最为懦弱和平庸的姿态中所引起的反感。过了一小会儿，对不起先生，我说，并谦卑地和他保持步调一致，牧羊人之门，看在圣爱的分儿上。从近处看上去，他似乎可以说是正常的，不过，除了这种我已提到过的回流至内心的神情。我领先了一点儿，几小步，转过身，弯下腰，碰碰我的帽子，说道，准确的时间，行行好吧！我本来也可以不存在的。但那块糖怎么办？借个火！我喊道。鉴于我对帮助的需要，我问自己为什么不挡住他的去路。我无法这样做，就这么回事，我无法触动他。看到人行道边上有条长凳，我坐下来，交叉起两腿，像瓦尔特那样。我想必睡了过去，因为突然有个男人坐在我旁边。在我仔细打量他时他睁开了眼并看着我，想必是第一次看我，因为他很自然地退后一些。您是从哪儿出来的？他说。相隔这么短时间再次听到有人跟我说话对我影响很大。您怎么啦？他说。我努力使自己看上去像个，从本性上，有什么就是什么的人。对不起先生，我说，同时微微抬起我的帽子并做出一个很快抑制下去的欠身动作，准确的时间，发发慈悲吧！他告诉了我一个钟点，我已不知是哪个，一个说明不了什么的钟点，我仅知道这么多，而这并未使我镇静下来。但那个钟点能做到。我知道，我知道，有个钟点会到来，它可以做到，但从现在到那时怎么办？您说什么？他说。不幸的是我什么都没说。但我弥补过来，借着问他能否帮我找到迷失的路。不行,他说,因为我不是这儿的人,我之所以坐在这块石头上是因为旅馆客满或者他们不愿接待我,我不知究竟为什么。但给我讲讲您的生活,然后我们再来考虑。我的生活!我叫道。对呀,他说,您知道,那种——我该怎么说呢?他沉思了很久,显然是在寻找生活可能是哪种样子的。最后他又开口了,以一种生气的口吻,得了,大家都知道这个。他用胳膊肘推推我。不要细节,他说,粗线条,粗线条。但由于我一直沉默不语,他说,您是否想让我给您讲讲我的生活,这样您就会明白啦。他的叙述简短而杂乱,一些事件,没有解释。这就是我称为生活的,他说,现在,您明白了吗?他的故事不算坏,有些地方甚至是仙境般的。该您啦,他说。但这位波利娜,我说,您一直和她在一起吗?是呀,他说,但我要抛弃她,和另一个过,更年轻更肥胖的。您旅行很多吗,我说。噢,极多极多,他说。词语渐渐回来了,还有使它们发出声响的方式。这一切对您而言无疑都结束了,他说。您要在我们中间待很久吗?我说。我觉得这个句子讲得十分出色。恕我冒昧,他说,您多大啦?我不知道,我说。您不知道!他叫道。并不真的这样,我说。您经常想到大腿,他说,屁股、阴户和周围部位吗?

我不懂。您不再自然勃起了,他说。勃起?我说。阳具,他说,您知道阳具是什么吗?我不知道。在那儿,他说,两腿之间。噢,这个,我说。它变粗、变长、变硬并举起来,他说,不对吗?这不是我会用的词。然而我接受了。这就是我们所说的勃起,他说。他凝神思索,然后惊呼道,与众不同!您不认为吗?的确,这很古怪,我说。何况全都在那儿,他说。但她将会怎样呢?我说。谁?他说。波利娜,我说。她会变老,他带着平静的自信说,开始是缓慢的,然后越来越快,在痛苦与怨恨中,拽着魔鬼的尾巴。那张脸不胖,但我徒然地看着它,它仍覆盖着皮肉,而没有成为全白垩的和好像是用半圆凿刻出来的。犁骨本身还保留着垂肉。再说讨论对我总是毫无价值。我痛惜那温柔的苜蓿,我本该拎着鞋在上面轻轻踏过,还有我的树林的阴影,远离这可怕的亮光。您干吗这么愁眉苦脸的?他说。他的膝盖上放着一只大黑包,像是个助产士用包,我设想。他把它打开并让我看。里面装满了小药瓶。它们闪闪发亮。我问他它们是否都一样。哦,不,他说,样样都有。他拿起一个递给我。一先令,他说,六便士。他要我做什么?让我买吗?基于这一假设我对他说我没钱。没钱!他叫道。突然他用手掐住我的脖子,他强有力的手指收紧了,猛地一摇他把我翻倒在他身上。但他没有了结我,而是开始在我耳边低语一些甜蜜的话,以至于我听任他摆布,我的头滚入他的怀里。在这抚爱的声音和勒住我脖子的手指之间的反差是惊人的。但渐渐这两种东西融合在一起,汇成一种压倒一切的希望,如果我敢说,并且我敢说。因为今晚我没有什么可丢失的,这我可以分辨。如果(在我的故事中)我到达了现在这一地步而一切都没有改变——因为如果有所改变,我想我会知道的,事实是我到达了这里,而这已经不容易,事实是一切都没有改变,而总是这样。这并非赶紧结束事情的理由。不,应该慢慢停下来,不拖拉但慢慢来,就像在楼梯里中止的受爱者的脚步,他过去无以施爱并且将不再回来,他的脚步这样说,他无以施爱并且将不再回来。他突然推开我并再次给我看那小药瓶。一切都在这儿了,他说。这不会是和刚才一样的一切。您要吗?他说。不要,但我说要,为了不使他动气。他向我提出做一种交换。给我您的帽子,他说。我拒绝了。多么激烈!他说。我一无所有,我说。在您兜里找找,他说。我一无所有,我说,我出门时什么都没带。给我根鞋带,他说。我拒绝了。长时间的沉默。要是您能给我一个吻的话,他最后说。我知道空气中有些吻。您能摘掉您的帽子吗？他说。我摘掉了帽子。戴上吧，他说，您戴着更好些。他在考虑，这是个沉着的人。行啦，他说，给我一个吻，我们就算妥啦。难道他就不怕遭到回绝？不，一个吻不是一根鞋带，他应从我脸上看出我还留有几分个性。来吧，他说。我在厚厚的毛发里蹭了蹭嘴，并朝他的嘴移过去。等等，他说。我的飞翔停在空中。一个吻，您知道是什么吧？他说。知道，知道，我说。恕我冒昧，他说，您那最后一次，是在什么时候？有一阵子了，我说，但我还会做这个。他摘下帽子，一只圆顶礼帽，轻轻拍拍额头中央。这儿，他说，别在别的地儿。他有着漂亮的额头，高而白。他弯下身，低下眼皮。快点儿，他说。我噘起嘴，就像妈妈教我的那样，并置于他所指明的地方。够了，他说。他把手抬向那块地方，但这动作，他没有完成。他重新戴上帽子。我转身观望街对面。那时我才注意到我们坐在一家马肉铺对面。喂，他说，拿着吧。我已不去想它。他站起来。站着，他个子很矮。有来才有往，他说，带着一种喜悦的微笑。他的牙齿闪闪发亮。我听着他的脚步声远了。当我再次抬起头来，眼前一个人都没有了。接下去的怎么讲呢？但这便是结局。或者我做了个梦？我在做梦吗？不，不，不要这个,这就是我的回答,因为梦什么都不是,一个笑话。这个嘛倒有意思!我说,待在这儿,直到天亮。在沉睡中等着,直到灯火熄灭,街上热闹起来。如果需要的话,你将去向一位警察问路,他将不得不告诉你,否则他将会背弃他的职业宣誓。但我站起来并走开了。我的疼痛又复发了,但带着某种不寻常,它阻止我蜷缩其中。但我说,慢慢地你就会恢复知觉。仅考虑到我那缓慢、僵硬的步态,每一步都似乎在解决一个前所未遇的平衡动力学问题,人们本该认出我的,如果他们认识我。我穿过马路,在肉铺前停了下来。栅栏后面窗帘拉着,蓝白条粗布窗帘,圣母的颜色,上面粘上了大块玫瑰色的斑点。但窗帘中间没有接合好,穿过缝隙我可以分辨出掏空的马的黑乎乎的骨架,头朝下悬挂在钩子上。由于渴求影子,我贴着墙走。想着转瞬间一切都将被讲出,一切都将重新开始。那些公共时钟,它们到了会怎样呢,它们的曲调,那冰冷的大耳光,一直传到我的树林,猛烈地抽打我?还有什么?噢,对啦,我的战利品。我努力去想波利娜,但她逃开了,只在刹那间被照亮,就像刚才那个年轻女人。我的思绪也掠过那母羊,带着遗憾,无力停留。这样,在难以忍受的光亮中,埋藏在苍老的皮肉中,我努力走向一条出路,但越过了所有的，右边的、左边的，意念喘息着奔向这个、那个，总被驱赶回来，回到那一无所有之处。然而我成功地和那小女孩短暂地纠缠了一会儿，足以把她看得比刚才更清楚些，以至于她戴着一顶便帽，闲置的那只手里紧握着一本书，也许是本祷文，我试图使她微笑，但她没有微笑，而是消失在楼梯里，没有向我提供她那张小脸。我该停下来了。开始时什么都没有，然后一点点，我是说，从沉默中升起并马上稳定下来，一种大规模的窃窃私语，也许来自支撑我的房屋。这使我想起房屋里挤满了人，被围困的人，不，我不知道。退后几步以便观看窗户，我这才意识到，尽管有护窗板、百叶窗和窗帘，很多房间还是被照亮了。这是一种十分微弱的光，与洒满林荫道的光相比。因此除非被告知与之相反的情形，或猜疑到这一点，人们一定会设想大家都睡着了。嘈杂声是不连续的，被那无疑是惊吓造成的沉默一再打断。我打算按门铃并请求躲避和保护，直到天亮。但我重又开始行走。但渐渐地，以一种既强烈又温柔的沉降，黑暗在我周围形成。我看见，在一个极美的浅色调的瀑布中，一大堆绚丽的花朵熄灭了。我无意中发现，自己正沿着一些门面欣赏缓慢开放的正方形和长方形，带杠的和无纹饰的，黄的、绿的、玫瑰色的，它们依窗帘和百叶窗而有所不同,并发现自己感到这个好看。然后最终,在跌倒之前,先是跪着,像牛那样,然后趴在地上,我在一群人中间。我没有失去知觉,我吗,当我失去知觉,就再也不会恢复。人们没有注意我,但避免走在我身上,这种关照应该令我感动,我是为此而出的门。我很好,浸透了黑暗与平静,在凡人的脚下,在幽深的白日的深处,如果是白日的话。但现实,过于疲倦以至于找不到恰当的词,不失时机地恢复原状,人群重又退去,光,重又回来,我无须从马路上抬起头就知道我重又回到和刚才一样的令人目眩的虚空中。我说,待在那儿,躺在这些友好的或至少是中立的石板上,别睁眼,等着那撒马利亚人的来临,或者白天的来临和随之而来的警察,或者谁知道呢,一位救世军成员?但我又站了起来,再次被那不是我的道路带走,沿着一直在上升的林荫道。幸亏他没在等我,那可怜的布里姆,或布里恩老爹。我说,大海在东面,应该朝西走,在北面的左边。但我徒劳无望地抬起眼睛望着天空,在那里寻找大熊星座。因为浸泡我的光使星星失明,设想它们在那里——这我不相信,令我想起云。

结　局

邹　琰　译

他们给我衣服穿，给了我一些钱。我知道这钱要用来干什么，它要用来让我开个头。要是我把它花了，我就得自己去另外弄点钱，要是我想继续的话。鞋子也是一样，要是穿坏了我得叫人去修理，或者自己另外去弄双鞋，或者继续光着脚，要是我想继续的话。上衣和裤子也是一样，他们不需要告诉我除开它们我可能就只能穿衬衣，要是我想的话。衣服——鞋、袜、裤子、衬衣、上衣和帽子——不是新的，但这个死人肯定和我的个头差不多。这就是说他肯定比我矮一点，比我瘦一点，因为衣服并不是从开始到结束都适合我。尤其是衬衣，很长时间里我都不能扣上领子，因此也不能竖起硬领，也不能像我母亲给我示范的那样，用一根别针把我两腿之间的下摆接合起来。他肯定是穿着节日服装去看病，也许是第一次，再也受不了了。不管他是如何，这个帽子却是个圆顶礼帽,状态很好。我说,把你们的帽子拿走,请把我的帽子还给我。我补充说,请把我的帽子还我。他们回答说他们已经烧了,和我其他的衣服一起。我于是明白这很快就会结束,很快。我后来试着用这个帽子去换一顶鸭舌帽,或者一顶可以压到脸上的毡帽,不过没有大的进展。但我不能光着头去散步,鉴于我头顶的状况。这个帽子开始太小了,后来就适应了。在长久的争论之后,他们给了我一条领带。这领带我觉得很漂亮,但我并不喜欢它。当这条领带最终到来的时候,我累得没办法把它退回去了。但它最终还是对我有用。这条领带是蓝色的,上面有着像小星星的东西。我觉得不舒服,但他们对我说我够舒服了。他们没有明确地说我是前所未有的舒服,但这是言下之意。我毫无生气地躺在床上,需要三个女人给我套上裤子。她们好像对我的私处没多大兴趣,说真的,它们也没什么特别的。我自己也不感兴趣。不过她们本可以说这是一个小小的东西。她们完成后,我起床,一个人把衣服穿好。她们要我坐在床上等。所有的床上用品已经不见了。这让我很生气,她们与其让我在寒冷中站着,裹在这些发出硫黄气息的衣服中,不如让我在普通的床上等着。我说,你们本该让我在我的床上待到最后一刻。几个穿罩衫的男人进来了,手里拿着木槌。他们拆了床,把部件搬走。一个女人跟着他们走了,又带着一张椅子回来,摆在我面前。我已经表示了我的愤怒。不过为了向她们表示我是多么愤怒于她们没有让我待在床上,我一脚把这张椅子踢翻出去。一个男人走进来,示意我跟着他。在前厅他给我一张纸要我签字。这是什么,我说,一张安全通行证?这是收据,他说,是您收到的衣服和钱。什么钱?我说。就这样我收到了钱。现在想想,我差点袋里一个子也没有就离开了。和别人的钱比起来,这笔钱不多,但是对我来说我觉得是很大的一笔钱了。我看到这些熟悉的物品,它们陪伴了那么多可堪忍受的时刻。像凳子,是这一切中最亲密无间的。一起度过漫长的下午,在床上等着时间过去。有时我觉得自己侵入了它的木头生命中,直至自己成了一段老木头。那儿甚至有个洞留给我的脓包。还有玻璃,那地方的毛糙已不见了,在悲伤的时刻我把眼睛贴在上面,很少会不见效。谢谢你们,我说,有没有一种法律阻止你们将我赤条条身无分文地扔到街上去?长此以往,这对我们不利,他回答。难道没有办法让他们再收留我一会儿吗,我说,我会效劳的。效劳?他说,您当真准备效劳吗?过了一会儿他又说,他们如果真的以为您准备效劳,我确信,他们会收留您的。我说过很多次我要效劳,我不要重新开始。我觉得自己那么虚弱!这钱,我说,也许他们很想收回去,会再收留我一会儿。我们是一个慈善机构,他说,钱是您离开时给您的捐赠。您把它花光了就得自己另外去弄,如果您想继续的话。不管怎么说再也不要回来,因为您不再会被接纳。我们的分支机构也会拒绝您。埃克塞尔曼斯[①]!我叫道。走吧走吧,他说,再说您说的话连十分之一都没人明白。我那么老了,我说。您不过就这么老,他说。请容许我在这儿待一会儿好吗,我说,等到雨停?您可以在回廊里等,他说,雨一天都不会停。您可以在回廊等到六点钟,您会听到钟声。有人问您的话,您只要说您得到允许在回廊里躲雨。我该说谁的名字呢?我说。魏尔,他说。

我在回廊里没多久雨停了,太阳出来了。太阳很低,考虑到季节的缘故,我推断出离六点钟不远了。我在那里,在拱穹下看着太阳落到回廊后面。一个男人突然出现,问我在那儿干什么。您要?这是他说的。很友善。我回答

[①] 原文为 Exelmans,既是法国大革命和拿破仑战争期间著名军官的姓氏,也是巴黎著名酒店及地铁站的名字。

说我有魏尔先生的准许可以在回廊里待到六点钟。他离开了,不过很快又回来了。他肯定在这期间找过魏尔先生,因为他说,您不该再在回廊里耽搁了,因为不下雨了。

现在我穿过花园往前走。太阳出来,天空亮得太迟,已经没什么作用了,天空呈现奇特的光,结束了雨下个不停的一天。泥土发出叹息似的声音,最后的雨滴从空洞没有云朵的天空落下。一个小男孩伸出手,抬头向着蓝天,问他母亲这怎么可能。别来烦我们,她说。我突然想起我忘了向魏尔先生要一片面包。他肯定要给我面包的。在前厅谈话时,我已经想到过。我想,先结束我们现在正在谈的事,然后我再要求。我很清楚他们不会再收留我。我本该折回去,但我怕一个保安逮住我,对我说我再也不能见魏尔先生。这肯定会增加我的忧伤。再说在这种情况下我也绝不会返回。

在路上我迷了路。很久以来我都没有涉足这个城区,我觉得它变了很多。整片整片的建筑已经消失,栅栏已经换了地方,处处都有巨大的字母写着商人的名字,我以前从没在哪儿见过,我甚至很难拼读出来。有些路我不记得曾经见过,其中我记得的好几条都已经消失了,还有的完全改了名字。整体印象还是和以前一样。说真的我非常不熟悉这个城市。也许这完全是另外一座城市。我不知道人家以为我要去哪儿。好几次，我很幸运地没有被人踩到。我总是引人发笑，这有力而没有坏心眼的笑对健康是很有益的。我努力不离开天空红的那一边，同时尽可能地靠右边，终于到了江边。那儿一切乍看起来或多或少还是我离开时的样子。但只要近点看我肯定会发现很多变化。这是我后来才发现的。但是江在岸间流淌，从桥下穿过，总体印象没有变化。一直以来这条江尤其让我觉得是朝错误的方向流淌。我现在觉得这一切都是谎言。我坐的长凳还是在那个地方。人们根据身体坐下时的曲线挖凿了它。它在一个牲口饮水槽旁边，那个饮水槽的铭文说这是城里一位骑马的、名叫马克斯韦尔夫人的捐赠。我待在那里的时候，好几匹马从这个捐赠中受益。我听到铁蹄和马鞍的叮当声。然后是寂静。是马在看着我。然后是马喝水时在泥里踢着石子的声音。然后又是寂静。还是马在看着我。然后又是石子。然后又是寂静。直到马喝完了水或是赶车人认为马喝够了。马儿不安静。有一回，声音停下来，我回头，看见马看着我。赶车人也看着我。马克斯韦尔夫人要是能看见她的饮水槽给城里的马儿起了这样的作用肯定会高兴的。漫长的黄昏过后，夜来临了，我摘下了帽子，它弄得我很疼。我很想又被关起来，关在一个空空的热热的紧闭的地方，有人工的光线，尽可能有盏煤油灯，最好有个粉红色的灯罩。不时有个人来确定我情况还好，不需要什么东西。很久以来我都没有真正想要什么东西，给我留下的后果是可怕的。

在接下来的日子里我去看了好几座房子，没有什么成效。最常见的是人家当着我的面把门关上，甚至在我拿出钱，说我预付一个星期甚至两个星期的钱的时候。我徒劳地展示出我最好的风度，微笑，说话清清楚楚，可我还没有吹嘘完，人家就当着我的面砰地把门关上。在这个时期我把让自己显得既有礼貌又严肃的那一套举止做得尽善尽美，既不卑躬屈膝也不蛮横无理。我迅速地把帽子往前一滑，把它举在那儿一会儿，这样让人看不到我的头顶，然后又以同样的动作滑过，把它放回去。要把这做得自然，不制造一点不好的印象，并不容易。如果我认为只用手指头碰碰帽子就可以了，我当然就只是碰一碰。但是碰碰帽子也并不容易。后来我解决了这个问题——在困难时期这是非常重要的——戴了一顶旧英国军帽，按照军人的方式来打招呼，不，是假的，最后，我也不知道，我最终得到了我的帽子。怎么戴勋章我从未犯过错误。有几个女人很需要钱，马上让我进去，给我看房间。但我没有和任何一个说成功。最后我终于在一个地下室安了身。我很快就和那个女人谈妥了。我的古怪，这是她用的词，没有让她害怕。她仍然坚持要整理床，打扫房间，每星期一次而不是我要求她的每月一次。她对我说，打扫很快，在此期间我可以在旁边的小院子里等着。她很理解地补充说，她绝不会在恶劣的天气让我在外面的。这个女人是个希腊人，我想，或者是土耳其人。她从来不谈她自己。我的想法是她是个寡妇，或者至少是被抛弃了。她有很奇怪的口音。但我也是，常常同化元音，消去辅音。

现在我再也不明白自己在哪儿。我模模糊糊地有一个五六层大楼的印象，甚至连这个印象都没有，我什么都看不到。我觉得它好像和其他的楼房连成一体。我到的时候正是黄昏，而我觉得他们可能会给我吃闭门羹，我对周围没有给予我本该给予的注意。可以说我可能不再抱希望。确实，我离开这个房子的时候阳光灿烂，但我离开的时候从不往后看。我肯定小时候还在读书时，在哪里读到过这样的说法，离开时最好不要往后看。不过那时我这么做了。但是即使没有这些，我觉得我离开时也应该看些什么。但看什么呢？我现在只记得我的脚一步接一步地走出我的影子。鞋已经硬邦邦的，太阳突显出了皮上的裂痕。

我应该说，我在这个楼里很舒适。除了有几只老鼠，我一个人待在地下室。那个女人尽她所能地遵守了我们的协议。她将近中午拿来一个装了粮食的盘子，把前一天的盘子拿走。她同时还带来一个干净的便壶。便壶有一个大把手，她用手臂穿着把手，以便空出两个手来端盘子。之后我就再也看不见她，除非是她偶尔探头来确定我没发生什么事。我不需要无微不至的关怀。我从床上看得见人行道上来来往往的脚。有些晚上，天气好，我觉得自己精神好，就带着椅子到小院子里去看来往女人的裙底。再没有一条腿对我来说如此亲近。有一次我叫她去找藏红花的块茎，把它栽在阴暗院子里的一个旧罐子里。应该是快近春天了，可能并不需要这么做。我把罐子放在外面，用根绳子穿过窗户系住它。晚上，天气好的时候，一丝光沿着墙攀爬。于是我坐在窗户前，拉着绳子，让罐子待在光线下，在热度中。这也许不太简单，我现在不太明白当时我是怎么做的。可能并不需要这么做。我力所能及地熏烤它，天干时就在它上面撒尿。也许并不需要这么做。它变绿了，但从来没有开过花，只有一根软弱的花茎，衬着萎黄的叶子。我本想为有一棵黄色的藏红花或者一株风信子而高兴，可是现在，不会有了。她想拿走它，但我对她说留着它。她想给我再买一棵，但我对她说我不想再要别的了。最刺我耳的是卖报纸的叫喊声。每天，在同一个时间，他们跑着来来去去，鞋跟在人行道上嗒嗒作响，口中喊着报纸的名称，甚至还有轰动的新闻。房子发出的声音就没那么刺激我。如果不是小男孩的话，就是一个小女孩，在我上面的某个地方，每天晚上同一个时候唱歌。很长时间里我都没能够听清楚歌词。不过几乎每晚听，我最终听清楚了几句。对一个小女孩或者一个小男孩来说，这是奇特的歌词。这是我脑海中的歌词，或者仅仅是来自外界的？这是一种催眠曲，我想。它经常让我入睡。一个小丫头偶尔会来。她的红头发长长的，扎成两根小辫垂着。我不知道她是谁。她在我房间里转了一会儿，然后什么也没对我说就离开了。一天我接待了一个警察的拜访。他对我说我被监视了，也没向我解释为什么。可疑，对了，他对我说我可疑。我听任他说着。他不敢逮捕我。或者他可能是好心的。还有一个神父，一天我接待了一个神父的拜访。我告诉他我属于新教的一个分支。他问我乐意去看哪一类的牧师。在新教中，人晕头转向，这是必然的。他可能是好心的。他对我说一旦我需要服务就通知他。服务！他说了他的名字,向我解释我可以在哪儿找到他。我本该记下来的。

一天那个女人向我提了个建议。她说她迫切地需要现金,假如我可以向她预付六个月的房租,她可以把我这段时期的房租减四分之一。我肯定没有搞错多少。这个好处是给我赚了六个星期的居住期,坏处是几乎把我那笔小小的资金给掏空了。但能够把这称为坏处吗?不管怎么说,难道我不是待到花完最后一个子儿,甚至是超过那个时候,直到她把我扔到外面吗?我给了她钱,她给了我一张收据。

一天早上,就在那笔交易后不久,我被一个男人叫醒,他抓住我的肩膀摇我。应该不会超过十一点。他请我起来,马上离开他的屋子。我应该说,他很得体。他对我说他的惊讶不亚于我。这是他的房子。他的财产。土耳其女人昨天离开了。但我昨晚还看到过她,我说。您肯定搞错了,他说,因为她把钥匙带到我的办公室给我了,不会迟于昨天早上。但我刚刚交给她六个月房租的预付款,我说。那您叫她还给您,他说。但我不知道她的名字,我说,更别提她的地址了。您不知道她的名字?他说。他肯定以为我在撒谎。我病了,我说,我不能没有预先通知就这么离开。您不过就这么点病,他说。他建议叫人去找辆计程车,甚至一辆救护车,如果我想的话。他说他需要这个房间,马上,给他的猪,它正在门前的一辆大车里挨冻,只有一个小孩子在看着它,而他甚至还不认识这个小孩,小孩可能正在折磨他的猪。我问他能不能让给我另一个地方,只要一个我可以躺下的角落,有时间让我从激动中平静下来,做点准备。他说他不能。这并不是我凶恶,他补充说。我可以和猪住在这儿,我说,我可以照顾它。那么长的几个月的平静,在顷刻间化为乌有!安静,安静,他说,不要灰心丧气,勇敢点,走吧,嗨,站起来,行了。不管怎么说,这不关他的事。他真的很有耐心。在我睡觉的时候他肯定已经看过地下室了。

我觉得自己那么虚弱。我应该虚弱的。灿烂的光线让我头昏眼花。一辆公共汽车载着我到了乡村。我坐在田野里,在阳光下。但我觉得已经很晚了。我在帽子下扎了一些树叶,围了一圈,形成阴影。夜里很冷。我在田野里走了很久。最终找到了一堆厩肥。第二天我又踏上了回城里的路。人家把我从三辆公共汽车上叫下来。我坐在路边晒太阳,把衣服晒干。这让我很高兴。我心想,现在再没什么,再没什么可做的了,直到它们干透。等衣服干了,我用一个刷子刷衣服,我想那是一种马刷,是我在一个马厩里找到的。马厩总是可以救我的。之后我走到了一栋房子前,在那儿乞讨一杯牛奶和黄油面包。除了黄油他们什么都给我了。我可以在马厩里休息吗?我说。不,他们说。我一直发出臭味,但是一种我很喜欢的臭味。我喜欢这种味道远胜过喜欢自己的味道,再说它阻止我闻到这种味道,要么就是一阵阵的。接下来的日子我试着去找回我的钱。我再也无法确切知道事情是怎样发生的,还能不能找到地址,或者地址存不存在,或者有没有这个土耳其女人。我在口袋里找收据,想试着分辨出名字。口袋里没有收据了。也许她在我睡觉的时候又拿回去了。我不知道我这样转了多久,有时在这个地方休息一下,有时在那个地方,在城里,在乡下。城市已经变了好多。乡下也不再是我记忆中的那个样。整体印象还是相同。有一天我看见了我儿子。胳膊下夹个公文包,他加紧脚步走着。他脱了他的帽子,弯弯腰,我看见他头秃得像个鸡蛋。我几乎肯定这就是他。我转身,眼睛跟着他。他飞快地向前走,步子像只鸭子似的,向四面八方大大地甩着他的帽子和其他卑贱的证明。这个婊子养的可恶的儿子。

一天我碰见了一个男人,他以前认识我。他住在海边的一个岩洞里。他有一头驴,沿着悬崖吃草,要么在下到大海边的小路上吃草。天气不好,这头驴就自己来到岩洞,整个暴风雨时期都在那儿躲避。他们在一起过了好多个夜晚,风在嘶吼海在沙滩上雷鸣的时候他们彼此挤在一起。多亏了这头驴,他可以给城里人的小花园运些沙子、海藻和贝壳。他一次不能运太多,因为驴子老了,个子也小,而城里又远。但他这样赚了一点钱,足够给自己买点烟和火柴,时不时买半公斤面包。就是在一次出去的当儿,他在城郊碰见了我。他很高兴再见到我,这个可怜的。他求我陪他到他那里去,在那里过夜。您也可以想待多久就待多久,他说。您的驴,它怎么了?我说。别在意,他说,它不认识您。我提醒他我不习惯和人连续待在一起超过两三分钟,而且我怕海。他显得很抱歉。那么您别来,他说。但是,让我惊讶的是,我跨坐在驴子上往前走,走在进出人行道的红栗树树荫下。我紧紧抓住驴子的脊背,一只手放在另一只手前面。那些小男孩朝我们鼓噪,向我们扔石子,但他们瞄得不准,我只被扔中一次,在帽子上。一个警察挡住我,指责我们扰乱公共治安。我的朋友提醒他,我们是大自然最终把我们变成的那个样子,那些小孩子也是同样的情况。很明显,在这样的情况下,公共治安不时会被扰乱。让我们继续我们的路,他说,那么在您的区域,治安很快就会回来。我们笔直穿过内地平静的道路,路上灰尘白茫茫,路边是山楂树和吊钟海棠形成的篱笆,疯长的草和雏菊镶在人行道边。夜降临了。驴子把我载到岩洞口,因为我在黑暗中没法走那通到海里的小路。然后它又重新上到它的牧场去。

我不知道我在那儿待了多久。我应该说,在岩洞里很舒服。我用海水和海藻对付我的阴虱,但是肯定还有好多虱卵继续存在。我用海藻敷料来治我的头,这对我大有好处,但是暂时的。我一般躺在岩洞里,偶尔看着海平面。在我上方是一大片跳动的空间,没有岛也不见海岬。夜里一束光以一定的间隔反复照亮岩洞。就是在那时我找到了我的小药瓶,在我的口袋里。它还没被摔碎,玻璃瓶不是真正的玻璃做的。我一直以为魏尔先生把我的一切都拿走了。这另一位大部分时间在外面。他给我些鱼。对一个男人来说,当一切是真实的,那么生活在一个岩洞里,远离所有的人,是很容易的。他邀请我留在这里,乐意待多久就待多久。如果我喜欢一个人,他也很乐意在远一点的地方给我布置另一个岩洞。他会每天给我带吃的,不时来确认我还好,不需要什么东西。他是好心的。我不需要好心。您不知道一个湖边的岩洞吗？我说。我难以忍受海，海啪啪作响，震荡，涨潮落潮，整体性痉挛。海上的风偶尔会停。我的手脚发麻。海让我连续几个小时没法入睡。在这不幸很快会落到我头上的时候，我说，那么我还会有什么进展呢？您会淹死，他说。是的，我说，要么我就从悬崖上跳下去。我在别的地方都不可能生活，他说，以前在我山里的小屋里我很悲惨。您在山里的小屋？我说。他重复了他在山里的小屋的故事，我已经忘记了，这好像是第一次听说。我问他是否还有这个小屋。他回答说，他从那里逃出来之后就再也没有看过，不过他觉得那个小屋一直在同一个地方，肯定有点破烂不堪了。但是当他催我拿这个小屋的钥匙时，我拒绝了，说我已经做了别的安排。您总可以在这儿找到我，他说，一旦您需要我的话。啊，那些人。他把他的刀子给我。

他称之为小屋的是一种临时的木板屋。门已经被搬走了，去烧火或是做别的用途。窗没有窗玻璃。屋顶好几个地方塌了。屋里被一块残留的隔板分成两个大小不同的部分。要是以前有过家具的话，现在也没有了。人们在地上、在墙上干了最卑鄙的勾当。地上撒满了排泄物，人的，牛的，狗的，还有避孕套和呕吐的东西。在一堆牛屎上，有人画了一颗中了箭的心。但这不是个评上了等级的风景点。我发现一些丢掉的花枝残片。它们被人贪婪地采摘，长时间地运送，最终被扔掉，不再轻盈，或者已经枯萎。他给我的钥匙就是这个屋子的。

周围的景象是熟悉的庄严和荒凉。

这毕竟是一个住所。我自己费劲采了蕨，铺了一层，在那上面休息。一天我起不来了。那头奶牛救了我。因为冰冷的雾的刺激，它来这儿躲避。这肯定不是第一次。它应该不是来看我的。我试着吸它的奶，没多大成效。它的奶头上满是屎。我脱了帽子，开始把奶挤到帽子里，用尽我最后的力气。奶流到了地上，但我想，没关系，这是免费的。它在地板上拖着我，时不时停下来只是为了突然给我一蹄子。我不知道我们的奶牛也可以这么凶恶。人们肯定刚刚给它挤过奶。我一只手紧紧抓住奶头，另一只手把帽子固定。但它最终占了上风。因为它拖着我穿过了门槛，一直拖到那巨大的湿漉漉的蕨丛中，我不得不松了手。

喝着奶，我责备自己刚才的行为。我再也不能指望这头奶牛了，而且它会告诉别的奶牛。我要是更有自制力一点，我也许可以把它当朋友。它可能就会每天来，也许还有别的奶牛跟着它来。我就可能学会做黄油、奶酪。但我想，不，现在一切都是最好的。

一旦上了路，我就得顺坡走。很快有大车来，但全都拒绝我。要是我还有别的衣服，另一张脸孔，也许人家还会捎上我。自从我被驱赶出地下室以后，我肯定变了。特别是这张脸到了它的危险关头。谦虚淳朴的微笑再也没有了，也表现不出忍受了星星和篝火的单纯的不幸。这张长毛的又脏又老的皮相，再也不愿意扮演请、谢谢和对不起。这很不幸。未来，我要用什么去爬行呢？睡在路边，每次听到大车过来，我都开始扭动身体。这是要人不要以为我睡着了，或者在休息。我试着呻吟，救命！但发出的声音是那种日常谈话的声音。我不能再呻吟了。这还不是结束，我不能再呻吟。最后一次该呻吟的时候我已经呻吟了，很好，像往常一样，但没有任何人为我献出同情心。我会变成什么？我想，我要重新学习。我睡在路中间，在一条狭窄的路当中，大车要通过至少得一个轮子从我身上轧过去，如果车有四个轮子就要用两个轮子轧过去。那个红胡子的城市设计家，给人摘去了胆囊，一个巨大的错误，结果三天后他死了，正当壮年。但是当白天来临，我环顾周围，发现自己在城郊，从那里到以前野兽留下的足迹并不远，在休息和稍稍劳累的愚蠢希望之外。

于是我用一块黑色的破布遮住脸的下部,走到一个阳光灿烂的角落请求施舍。因为我的眼睛似乎没有完全睁不开,也许这要多亏我的家庭教师给我的墨镜。他给了我热林茨的《伦理学》。这是一副成年男人的眼镜,我那时还是个小孩。人家发现他死了,倒在厕所里,衣衫凌乱不堪,死于突发的心肌梗死。啊,多么平静。《伦理学》的衬页上写着他的名字(瓦尔),眼镜就是他的。镜桥,在我说的那个时期,还是黄铜丝造的,用来挂框子和挂大片的玻璃,两条长长的黑带子被我用来做镜腿。我把它们绕着耳朵缠好,再拉到下巴下,把它们在那儿系牢。镜片因为在我口袋里经常彼此摩擦,在口袋里的其他东西上摩擦,已经磨损了。我一直以为魏尔先生把我的一切都拿走了。但我不再需要眼镜,戴它只是为了缓和刺眼的阳光。我最好还是不要谈论这个了。那块破布让我很难受。我最后把它抻到我大衣的衬里上,哦不,我没有大衣了,是我的短上衣。这更像是一块灰抹布了,甚至是苏格兰格子花呢的,但我很满意。我仰着脸朝着中午的天空,直到下午,然后朝着落日的天空直到夜晚。那个木碗让我感到很别扭。因为我的头,我不能用我的帽子。至于伸着手,不行。所以我找了一个白铁盒,把它挂在我大衣的一个扣子上，但是我的上衣，在小肚子底下，有了一个什么样的东西啊。盒子挂不直，毕恭毕敬地向着行人鞠躬，行人只需要让硬币掉下来就可以了。但这让他不得不很靠近我，很可能碰上我。我最后找了一个大一点的盒子，一种大盒子，我把它放在人行道上，放在我脚下。但施舍的人不太喜欢扔，这个动作有点蔑视的意味，会使敏感的人反感。更不必说他们必须瞄准了。他们愿意给予，但不愿意让硬币滚到路人的脚下，或者是车轮下，那儿不管是谁都能捡。于是他们就不给予了。当然也有人弯腰，但是施舍的人通常不太喜欢被迫弯腰。他们喜欢的，是老远发现乞丐，准备好硬币，在全速的行走中松开硬币，听着上帝会补偿您的声音在渐行渐远中变弱。我不说这些，我不是很信教，也没丝毫类似，不过我仍然用嘴巴发出点声音。我最后找了一种小板子，用线系在脖子和腰上。它正好突出在恰当的高度，和口袋一样高，板子边离我的身体比较远，足够让人在那儿毫无风险地放下一个铜子。人们有时候会在板子上看到花、花瓣、穗子和我觉得人们用来治痔疮的草，还有我得到的东西。我并不是去找来的，不过所有这类美丽的东西都是掉到我手里的，我就把它们留在板子上了。人们可能会以为我爱大自然。大部分时间我看着天空,但并不是盯着看。天空最常见的是白色、蓝色和灰色混合在一起,晚上有别的颜色加进来。我感到它温柔地压在我的脸上,我擦着脸,把脸从一边摇晃到另一边。但我经常任由我的头垂到胸前。那时我模模糊糊地看见木板在远处,阴沉沉的,花花绿绿的。我靠在墙上,但并非漫不经心,我把身体的重量从一只脚移到另一只脚,把手抓在上衣的翻领上。手插在口袋里乞讨是会造成恶劣影响的,这会让工人不舒服,尤其是在冬天的时候。也绝对不能戴手套。有些小鬼借口给我钱,抢光我得到的所有的钱。他们用来给自己买糖果。我解开纽扣,悄悄地搔痒。我用四个指甲,从下到上地搔痒。我拔毛,让自己舒服一些。就这样度过了时间,时间就在我搔痒的时候度过了。在我看来,真正的搔痒要比抖动身体好。人可以抖动身体到五十下,甚至更多,但最后这就成了一个简单的习惯。要搔痒,我两只手都不够。我的手到处抓,身体各个部分,毛发乃至肚脐,胳膊下,屁眼里,和这在一起的湿疹皮屑和牛皮癣屑我只要一想到就可以点起火来。在屁眼里我的满足感最大。我把食指往里塞,一直塞到齐手掌。要是我接着就要拉屎,这就会让我很痛。但我不怎么拉屎。天上时不时会飞过一架飞机,我觉得不太快。到了一天结束的时候，我经常发现我裤子的下部是湿的。这应该是狗弄的。我不怎么撒尿。要是偶尔我有了这个欲望，我就在裤裆里放出一条细细的尿水，把欲望平静下来。一旦到了我的岗位，天黑之前我就不会离开。我不怎么吃东西，上帝给我估量了风向。工作结束后我会买一瓶牛奶，晚上到我的藏身之地去喝。我更愿意叫同一个男孩去买，我去人家不愿意卖给我，我不知道为什么。我给那个小男孩一个便士作为酬劳。一天我目睹了奇怪的一幕。通常我看不到什么。我也听不到什么。我不在意。说到底我不存在于那里。说到底我觉得我从来不曾存在于任何地方。但那一天我不得不回过神去。有个声音已经刺激我好一阵了。我并没有去寻找原因，因为我想，它很快会停下来。但因为它没有停，我就不得不去寻找它。这是一个男人站在一辆汽车的顶篷上，正在向路人大声地演说。至少我理解的事情就是这样。他叫得那么用力，以至他说话的片段都传到了我这儿。联合……兄弟……马克思……资本……牛排……爱。我对这些什么都不理解。汽车靠着人行道停着，就在我前面，我看到演说者的背。突然他转过身，把我牵涉了进去。你们看着我，这堆破烂，他叫着，这个渣滓。他之所以没有四个爪子在爬，是因为他怕被送到牲畜扣押场去。他老,穷,腐烂,要扔到垃圾箱里去了。像他这样的,比他还差的,有上千个,一万个——两万个——一个声音说,三万个。演说者接着说,每天你们从前面经过,当你们在竞争中赢了就放一个铜子。你们想过没有?那个声音说,没有。当然没有,演说者接着说,这是背景的一部分。一个便士,两个便士——那个声音说,三个便士。你们的脑子里从来没有想过,演说者接着说,这就是奴役,让人变愚蠢,是有组织的谋杀,你们就这样贡献了你们罪恶的奖金。看着我,这个被判死刑的人,这个被剥夺的人。你们会对我说这是他的错。你们稍微问问他这是不是他的错。那个声音说,你去啊。于是他俯身向我,责问我。我早已把我的木板做得很完美。它现在是由两小块接合起来的,一旦我完成工作,我就可以把它折叠起来,夹在胳膊下,我是很喜欢修修弄弄的。于是我拉掉那块破布,把我得到的几个硬币放到口袋里,松开木板的绳子,折好放到胳膊下。你倒是说话呀,该杀的家伙!演说者嘶喊着。之后我离开了,尽管那时天还亮着。不过整体来说,那个角落是平静的,活跃而不熙熙攘攘,兴旺而又适度。那应该是个宗教狂热分子,我找不到别的解释。他肯定是从疯人院里逃出来的。他相貌和善,脸色稍微有点红。

我不是每天都工作。我几乎没有开销。甚至有了点储蓄,留给最后的日子。我不工作的日子就躺在我的藏身之地里。那是在江边,在一个私人住宅里,或者说曾经是私人住宅的地方。它的正门朝着一条狭窄幽静而阴暗的路,四周给一堵墙围起来,当然除了靠江的那一边,江划出它北边的界限,大概三十步长。对面,江的另一边,仍然是堤岸,之后是一片杂乱无章的矮房、空地、栅栏、烟囱、尖顶和塔楼。还可以看见类似麦田的田野,从年头到年尾都有士兵在那儿踢足球。而窗户——没有。这个住宅似乎被抛弃了。栅栏门关着。小径侵满野草。只有底层的窗户有百叶窗。其他的窗户夜里偶尔会有微弱的亮光,时而这扇,时而那扇,我感觉到这个。这可能是普通的反光。我选中这个藏身地的那天在这儿找到了一只小船,船底倒翻在空中。我把它翻了过来,用石头和木块把它稳住,搬走底座,把它变成我的床。老鼠很难到我这儿来,因为船体是斜的。不过它们很想来。你们想想,是活生生的肉体啊,因为我仍然是活生生的肉体。在我的那些偶然的住所里,已经有太长的时间我是和老鼠生活在一起,以至我不再对它们有平常人的恐惧。我甚至对它们有了一种好感。它们带着同样的信任来到我这儿,可以说没有一点踌躇。

它们用猫一样的动作梳洗打扮。癞蛤蟆们晚上则好几个小时一动不动，它们捕食蚊子。它们待在遮蔽和敞亮过渡的地方，它们喜欢门槛。但这里的是水老鼠，瘦小而又特别凶残。所以我用散开的木板造了一个盖子。这很奇妙，在我的生活中我能找到像木板这样的东西，每当我需要木板的时候，它们就出现在那儿，只需要弯腰就行了。我很喜欢修修弄弄，不，不是很喜欢，就是像这样。这个盖子把小船整个重新盖上，我现在又可以谈论这个船顶盖了。我把顶盖稍微往后推一些，我从前面进到船里，钻到后部，抬起脚，把船顶盖重新往前推，直到它把我整个盖上。我为此在盖子的背上固定了一根凸出的横梁，抵着这根横梁来推动，我很喜欢修修弄弄。但更好的是从后部进船，用我两只手拉动顶盖来把我整个盖上，我想出去又同样把它重新推起来。我在必要的地方钉了两个大钉子当作我两只手的把手。我敢说，这些用偶然得来的工具和材料做的小小的木工活，不让我讨厌。我知道很快就要结束了，那么我表演个喜剧，不是吗，什么样的喜剧，我不知道。我应该说，我在小船里很舒适。我的船盖那么吻合，我不得不在那上面钻个洞。不需要合眼，必须在黑暗中把眼睛开，这是我的主意。我说的不是睡觉，而是我以为的人们称为熬夜的状态。再说我在这个时候睡得很少，我不想睡，要么太想睡了，我不知道，要么我害怕，我不知道。仰面躺着，我什么也看不到，要么就在我头顶上，透过那些细细的缝隙，模模糊糊地看见这个藏身之地的灰色光线。什么都看不到，不，这太过分了。我隐隐听到海鸥在附近绕着下水道出口忙碌的叫声。如果我记忆不错，那些垃圾汇集到江中，翻腾着，一片混浊，鸟就在上面盘旋，又饿又怒地大声叫着。我听见江水拍打江岸码头的声音，另一种没有约束的波涛声十分不同，我也听见了。我自己呢，挪动身子的时候，在我看来，不像船而像浪，我的停顿就像旋涡的停滞。这看起来似乎不可能。还有雨。我经常听到，经常下雨。有时候一滴雨穿过窝棚顶，在我身上炸开。这些不如说变成了液体。风也在其中加入它的声音，这是一定的，或者更确切地说是它玩耍时发出的各种各样的声音。但是什么呢？窸窸窣窣，呼号，呻吟和叹息。我想要听的，是锤子的敲打，砰，砰，砰，敲击在空虚中。我放屁，这是一定的，但很困难，生硬地和着打气筒的声音放出来，永远地消失。我不知道我在那儿待了多久。我应该说，我在这个箱子里很舒适。在最后的几年中我似乎已经获得了独立。即使再没人来也再没人能够来问我好不好，问我有没有需要，这也不怎么让我再伤心。当然我很好，而且再也没怎么感受到对情况恶化的恐惧。我的需要在某种程度上已经缩减到我自身的范围，从质量角度上要求非常精细，所以从这个观点上说一切救助都被排除了。知道自己存在于自身之外，哪怕是虚弱的虚假的存在，这曾经也可以触动我。人变成了野人，这是必然的。这就需要偶尔问问自己是不是在正确的星球上。甚至连词语也甩开您了，不需要多说了。这也许是连通器不再交流的时刻，您知道的，连通器。人一直处在两种喧嚣之间，也许总是同一段旋律，可是天哪，却不能说。有时候我想移动顶盖出去却做不到，因为我太懒太虚弱，而且其实我在那儿很舒适。冰凉的熙攘的马路，吓人的面孔，割、钻、绑、锉的声音，我觉得这些近在咫尺。于是我期待拉屎甚至撒尿的欲望会给我些力量。我可不想弄脏我的窝！可这事还是会出现，甚至越来越经常。我用力撑着身体脱裤子，把身体稍微转到一侧，勉强可以清理出一个洞。在一片屎堆中给自己打造一个王国，然后在上面拉屎，这就是来自我的。我的垃圾，就是我，这是一定的事，总是如此。够了，够了，这些景象，我正在看着的景象，我以前从没看到过，除了偶尔在我睡觉的时候。严格地说，我觉得我从没看到过。也许很小。我的神话也想这样。我知道这是些景象,因为天黑了,而且我独自在小船里。还会是别的些什么呢?所以我在小船里,在水面滑行。我不需要划桨,潮水载着我。而且我没看到桨,肯定有人拿走了。我有块木板,也许是底座的一块,我靠岸太近或者看到桥墩或是一艘要系缆的驳船过来时,我就用上这块木板。天上有些星星,不错。我看不出天气如何,我既不冷也不热,一切都似乎很平静。江岸越来越远,这是肯定的,我再也看不到岸了。稀少微弱的光标志着正在拉大的距离。人们在睡觉,身体为着第二天的辛苦和高兴恢复气力。船不再滑行了,它一跳一跳的,在刚开始的外海上被波浪拍打着。一切似乎都很平静,然而泡沫飞溅到了船舷上。现在自由的空气从四面八方环绕我,我只有大地的庇护,而在这种情况下,大地的庇护算不了什么。我看到航标灯,四个,其中有一个是灯标船。我很了解它们,很小的时候我就了解了。那是晚上,我和父亲站在山岗,他牵着我的手。我本想他用一个保护者的爱的手势把我拉向他,可他心不在这上头。他也教了我山的名字。不过为了摆脱这些景象,我也看到了浮标上的光,似乎到处都是,红光和绿光,甚至有令我惊讶的黄光。挺立在城市后面的山现在显露出来,在山坡上,几处火光,从金色转为红色,从红色转为金色。我知道那是什么,那是染料木在燃烧。我自己小的时候就好多次在那儿点过火,用一根火柴。之后回到家,睡下之前,从我高高的窗户上看着我点着的火。在这个夜里,在一片微弱闪烁的光中,在海上,在尘世,在天上,我顺着海潮流动滑行。我留意到我的帽子挂在我的扣眼上,也许是被根细绳钩住了。我从船后部的底座上起身,就听到响亮的叮当声。这是固定在前面的锁链把我上身缠住了。我肯定事先在船底木板上凿了个洞,因为我现在正跪着用刀疏通这个洞。洞很小,水只是慢慢地上来。一切都包括在内,这需要足足半个小时,除非有意外。现在我重新坐到后部,伸直腿,腰稳稳地靠在用来当垫子的装满草的袋子上,我吞下我的镇静剂。海、天、山、岛,在一阵巨大的收缩中向我压过来,然后又离开,直到空间的尽头。我模糊而毫无遗憾地想到我差点要叙述的故事,以我的生命为写照的故事,我的意思是既没有勇气结束也没有力量继续。

被驱逐的人

邹 琰 译

台阶并不高。我曾经在上和下的时候数过无数次台阶的级数,但是现在我记忆中再也没有这个数字了。我从来不知道是不是该一只脚在人行道上的时候数一,接下来那只脚在第一级上的时候数二,然后以此类推,还是人行道不该计数。到了台阶的高处我碰上同样的困境。在另一个方向,我从上往下数时,情况也一样,我说也一样可是一点儿也不过分的。我不知道从哪儿开始也不知道从哪儿结束,假设事情就是那个样吧。就这样我得到了三个完全不同的数目,从来不知道哪个数是正确的。而当我说我记忆中再也没有这个数字了的时候,我想说的是记忆中这三个数目的任何一个都不在了。是的,要再找的话,这些数字中只有一个我现在实实在在地记得,我只会记得它,没法推导出另外两个。即使我找到了第二个,我也不知道第三个。不,要能知道它们,得在我的记忆中重新找到这三个数目,把这三个数目全都找到。记忆,是令人头疼的。所以不要去想某些事情,去想某些挂在你们心上的东西,或者毋宁说应该去想它们,因为不去想它们,慢慢地,就有可能要在记忆中去寻找它们。也就是说,必须去想它们一阵子,好一阵子,每天,一天几次,直到一层无法穿越的淤泥覆盖了它们。这是一条规矩。

不管怎么说,台阶的数目对事情而言无关紧要。要记住的,是台阶并不高这个事实,而这一点我记住了。甚至对孩子来说,和他知道的其他的台阶相比,这也不高,他每天都见到这些台阶,在那儿上上下下,在那些阶梯上玩抓子游戏和其他连名都会忘了的游戏。那么这样的台阶对一个成年人、一个完全成年的人来说会是什么呢?

所以那一摔并不严重。就在摔下去的时候,我听到了门砰地关上的声音,这给我带来了安慰,甚至就在我摔倒的当儿。因为这意味着他们没有追到街上,在路人的眼皮下,用棍子给我几棍。因为假如那是他们的意图的话,他们就不会关门了,而是把门打开,好让人聚集在门前来观赏这惩戒,从中吸取教训。所以这一次,他们就此满足了,把我扔出来,再没别的了。我在沟里还来不及坐稳,就已经好好进行了这样的推理。

在这个情况下没有什么东西强迫我马上站起来。我用胳膊肘——奇怪的记忆——撑地，趴在人行道上，手心贴在耳朵上，开始思考我的处境，习以为常的处境。但是那个微弱一点的声音，但又不可置疑的声音，门再次砰地关上的声音，把我从我的沉思中拉出来，在我的沉思中，山楂树和野玫瑰花已经编织出了一派可爱的景致，梦幻一般，这声音让我抬起头，手掌撑在人行道上，伸直了腿。但这只不过是我的帽子，穿过空地，旋转着，向我飞过来。我抓住它，戴上。他们还算是很正派，根据他们的上帝的教诲。他们本可以保留这个帽子，但它不是属于他们的，而是属于我的，于是他们就把它还给我。但是梦想的魅力被打破了。

怎么描述这个帽子呢？又为什么要描述呢？当我的头一达到了它的尺寸，我说不出确切的尺寸，但是是最大尺寸时，我父亲就对我说，来，儿子，我们去买你的帽子，好像它一直以来就预先存在，在一个确定的地方。他直冲向那顶帽子。我没有发言权，卖帽子的也没有。我经常自问父亲是不是有意让我出丑，是不是嫉妒我那时年轻、英俊，总之是容光焕发，而他已经老了，全身臃肿，长满斑点。从那天开始，我不再被准许光着头出门，让我美丽的栗色头发迎着风。有几次，在偏僻的小巷，我把那顶帽子脱了，把它拿在手里，浑身打战地走着。我必须早晚擦拭它。我那个年纪的年轻人，不管怎么说，我时不时得和他们来往，他们总嘲笑我。但我想，帽子跟他们的嘲笑并没多大关系，他们只是在这个上面挑刺，就像抓住了最明显可笑的东西，因为他们不讲究。我总是惊讶于我同代人的不甚讲究，我的灵魂只要在其中寻找自己，就会从早到晚地扭曲起来。不过这也许是亲热，就像那种当着驼子的面嘲笑他的那种亲热。父亲去世时我本可以从这个帽子中解脱出来，再也没什么人反对这么做，但我什么都没做。但是怎么描述这一点呢？下次吧，下次吧。

　　我站了起来，摇摇晃晃。我再也不清楚自己可能是什么年纪。刚刚发生在我身上的，在我的存在中没有什么划时代的意义。那不是什么事情的摇篮或坟墓。更确切地说，那与我目前陷入的别的那么多摇篮那么多坟墓相像。但是如果说我那时正是身强力壮的年纪，是我以为可称之为具有能力的年纪，我觉得并没有夸张。啊，是的，要说这些能力我还真具有。我穿过马路，转身朝向刚刚把我轰出来的房子，以前我离开时从来没有转身。它多么美啊！窗台上有些天竺葵。在很多年里，我俯身去抓那些天竺葵。这些天竺葵很狡猾，但我最终把它们变成了我所想要的东西。这幢房子在小台阶的高处，我一直非常欣赏房子的门。怎么描述它呢？它是实心的，漆成绿色，夏天人们给它罩上一种绿白条纹的罩子，罩子上有一个洞，洞里突出一个铸铁制的硕大门环，还有一条缝隙，和信箱口相通，一个弹簧铜片护在缝隙上，挡住灰尘、虫子和山雀。就这样。门两边有两根同样颜色的壁柱，右边的柱子上有个门铃。门帘散发出最安全可靠的气息。即使从厨房壁炉管道里升起来的烟，也好像比邻居家的烟更忧郁更蓝地在空气中拉长消散。我注意到顶层四楼我的窗户正大大地敞开着。大扫除正进行得如火如荼。几小时之后，有人会重新关上窗户，拉下窗帘，开始喷洒福尔马林。我了解这些。我情愿在这个房子里终老。在一种梦幻当中，我看见门开了，我的脚出来了。

我毫无拘束地看着，因为我知道他们没有从帘子后面窥视我，就像他们想要做本就可以做的那样。但我了解他们。他们全都回到他们的蜂房里去了，每个人都忙着自己的工作。

可是我什么都没对他们做过。

我不了解这个城市，这个我出生的地方，我生命最初的行踪，还有所有其他搅乱我命运的足迹。我出去得那么少！我不时地走到窗户边，拉开窗帘，看着外面。但很快，我又进到房间的尽头，那儿有张床。在这整个空间的尽头，我觉得很不舒服，在无数朦胧的未来远景的门口迷失，困惑不已。但在那个时刻，当绝对需要的时候，我还知道行动。首先我抬起眼睛望天空，所谓的大救赎从那儿来到我们身上，那儿道路没有划定，那儿人们自由地漫游，就像在沙漠，那儿没有什么东西挡住人们眺望远方的视野，除非是目力所限。正因如此，每当一切糟糕的时候，我便抬眼望去，但这同样单调，我对这天空无能为力，这天空同样阴郁，同样灰沉沉，同样在雨中迷蒙；这天空枕在城市、乡村、大地的纷纭混乱当中。更年轻点的时候我想最好是住在原野当中，我去到月亮乡的荒野。脑中想着原野，我去到荒野。还有其他近得多的荒野，但一个声音对我说，您——我很少与人以你相称——需要的是月亮乡的荒野。月亮这个字眼可能在其中起了作用。可是，月亮乡的荒野一点也不讨人喜欢，一点也不。我失望地回来了，同时却又轻松了。是的，我不知道为什么，我从来没有失望过，不过在开始的时候，我却常常失望，但是在同时或事后倒感受到一种不可置疑的轻松。

我上路了。什么样的姿势啊。下肢僵硬，

好像大自然拒绝我屈膝，行走的时候脚向两边奇特地叉开。相反，仿佛出于一种身体上下部分的抵消效果，躯体好像一个随随便便装了些破布的袋子般软软的，疯狂地随着地上不可预测的颠簸而摇晃着。我常常试着改正这缺陷，挺直上身，弯曲膝盖，把这几步拉到另外几步前面，因为我至少走了五六步，但它总是以同样的方式结束，我的意思是说以失去平衡结束，然后摔一跤。人们走路的时候不需要考虑到在走路，就像呼吸一样，而我走路如果不考虑到我是在走路的话，我就会像刚才我说的那样摔倒，当我开始留意自己的时候，我走不了几步像样的，之后我就倒了。于是我打定主意放任自己去走。我觉得，这种姿态，至少部分归于某种习性，我从来没能从这种习性当中完全解脱，我容易受感动的年头里主要是培养性格，自然对这种习性出力最大，我说的是在一张椅子后面蹒跚学步和三年级我人文科学结束后无边无际延伸的那段时期。所以，我有了这种可耻的习惯，一早上开始，大概十点或十点半的时候，把裤子尿湿了或拉了屎，发生了这些惯常的事之后，我绝对想就这么坚持下去，过完我的一天。我不知道为什么，只要一想到换衣服，或者把自己交给只想帮助我的妈妈，就让我难以忍受，我步履艰难地走着，我放纵的结果就夹在细小的大腿之间，或是贴在屁股上，热热的，一块块的，臭烘烘的，直到我睡下。就这样我养成了迈腿小心而僵直，走路外八字的习惯，而也许是作为交换，也许是为了让我相信我无忧无虑、兴高采烈、生气勃勃，也许是为了让我把自己底部僵硬归在遗传风湿病上的解释显得更真实，我的上身拼命地摇晃。我年轻的活力在我所具有的范围内被磨灭了，我变得尖酸刻薄，多疑，有点超前，热衷于躲猫猫和躺着的姿势。年轻人可怜的解决办法，什么也解释不了。所以人不应该拘束。我们就什么也别怕地海阔天空地扯，流水账还容纳得下。

　　天气很好。我在路上前行，尽我所能靠近人行道。当我行走时，最宽阔的人行道对我来说也从来不够宽，而且我害怕妨害了陌生人。一个警察拦住我说，马路给车辆，人行道给行人。就好像是《旧约》中的话。所以我似乎道着歉，走上人行道，在一种无法描述的拥挤中保持着原状，走了足足二十来步，直到我不得不扑倒在地，免得踩到一个小孩。我记得，他带着一个小马具，还有铃铛，他一定以为自己是匹小马，或是一匹佩尔什马，为什么不呢。我本可以高兴地踩他，我痛恨孩子，再说这样做可能是帮他，但我害怕报复。所有人都是家长，这一点就禁止您去希望。人们不得不在这来来往往的路上规划出一些线路，留给这些肮脏的小东西，他们的有篷童车、木环、奶嘴、滑板车、踏板车、爷爷、奶奶、妈妈、球，他们一切肮脏微小的幸福玩意儿。所以我倒下了，我的摔倒引起了一个满身闪光片和花边的老太婆的摔倒，她大概有两百斤重。她的尖叫马上导致人们聚集起来。我很希望她摔断股骨，老太婆很容易摔断股骨，但是不够重，不够重。我趁混乱溜走，同时嘴里蹦出一些难以理解的咒骂，似乎我也是受害者，而我确实是，但我没能够证明这一点。人们从不虐待儿童、婴儿，不管他们做了什么，他们事先就被开脱了。而我，我会很快乐地折磨他们，我不是说我会亲自动手干，不，我不是个暴力的人，但我会鼓励别的人，完事之后我会请他们喝一杯。但我刚一重新跳起我那炝蹶子般摇摇晃晃的萨拉邦德舞，就被第二个警察给拦住了，他各个方面都像第一个，以至我心里在想这是不是同一个。他向我指出，人行道是给大家走的，似乎很明显我不能被归到大家这个范畴里来。我一刻也没有想到赫拉克利特，便对他说，您希望我下到阴沟里去吗？您可以下到您想要去的地方，他说，但是不要占了所有的地方。我瞄着他的上嘴唇，它至少有三厘米高，然后我对着它吹了口气。我这么做，我想，是非常自然的，就像人在变故的残酷压力下长长地叹气。但他没有动弹。他肯定有尸体解剖或者寻根究底的习惯。要是您不能像大家一样地行走，他说，您最好是待在您家里。这话完全符合我的想法。但愿他派个人送我回家，这没什么让我不乐意的。就在这时，来了一个送殡的队伍，这事有时会发生。这是人们纷纷摘帽子手指翻飞画十字的时候。就个人而言如果我沦落到在胸前画十字的地步，我也是会勉强去做应该要做的，鼻根，肚脐，左乳，右乳。但他们，匆忙模糊地擦过，给您一种蜷成一团的受折磨的样子，没有一点仪态，从下巴到膝盖双手也随随便便。最顽固的一动不动，让人听到他们的嘟嘟哝哝。至于那个警察，他定在那里，闭着眼，手放在警帽檐上。在送葬行列的马车里，我瞥见一些人正火热地聊天，他们大概在追忆死去的男人或女人的生活片段。我好像听说过柩车在两种情况下的鞍辔是不同的，但我从来没能知道区别在哪儿。马就像要去赶集一样放屁拉屎。我没见到有人下跪。

但这最后的旅行在我们这里是过得很快的，加紧脚步徒劳无用，最后的一辆马车把您放下，仆役的马车完成这停车后，人们就重新活跃，重新注意起您。以至我第三次停下，自发自愿地坐上了一辆出租马车。肯定是因为，我刚刚看见经过的那些马车，塞满了火热地讨论的人，给我留下了强烈的印象。这是一个大大的黑盒子，在弹簧上左右摇晃，窗户小小的，人缩在一个角落里，感觉被囚禁了。我感到我的帽子擦着马车顶。不多久我朝前倾，关上玻璃。然后我重新坐到我的位置，背朝着行进的方向。我正要睡着，突然一个声音让我惊跳起来，是马车夫的声音。他已经打开了车门，也许是对透过车窗玻璃让我听到他说话不抱希望了。我只看到他的胡子。去哪儿？他说。他从他的座位上下来就是为了说这个。而我还以为自己已经走远了！我思考着，在记忆中寻找一条街或者一个建筑的名称。您的马车要出售吗？我说。我补充一句，不要马。我要一匹马做什么？那我要一辆马车做什么？我只能在里面躺着？谁会带我去吃饭？去动物园，我说。在主要城市里没有动物园的很少。我补充一句，不要走太快。他笑了。建议他快点去动物园肯定会让他乐。要不然就是想到了出售马车的前景。要不然就是想到了我，我这个人在马车里的出现会改变他，总之，马车夫看到我在马车里，头隐在车顶的阴影下，膝盖顶着车窗玻璃，他可能在想这是不是真是他的马车，是不是真的是一驾马车。很快他看着马，安下心来。但是人们知不知道自己为什么笑呢？不管怎样他的笑很短促，在我看来与我无关。他又关上车门，重新坐上他的座位。过了一会儿马开始动起来。

是的，那个时候我还有一点钱。我父亲在他死时，给我留了一小笔钱，作为礼物，无条件的，我还在想人们是不是把这钱从我这儿偷走了。之后我就再也没有钱了。我的生活仍然在继续，甚至到了某种程度就是我想的那样。这种状态可以定义为绝对无购买能力，它的一大不便就是使您不得不去活动。比如说，人要是真的没钱，就很少会叫人隔三岔五地带吃的到自己的避难所。他不得不出去，活动，至少一星期有那么一次。在这种条件下人是没什么地址的，这是必然的。因此迟了好久我才知道人家在找我，为了一桩涉及我的事。我不知道是通过哪种途径。我不看报纸，也不记得在这些年里和什么人谈过话，除了三四次为了食物的问题。最后我肯定通过这种或那种方式听到了这个事的风声，否则我绝不会出现在尼德律师那儿，很奇怪，人忘不掉某些名字，而他本来绝不会接待我。他核实我的身份。这花了好长一阵子。我向他出示我帽子里面金属的姓名首字母，它证明不了什么，但它增加了可能性。签字,他说。他玩弄着一把圆柱形的尺子,它简直可以用来打死一头牛。数一下,他说。一个年轻女人,也许是要出售的,目睹着这一交谈,肯定是作为证人。我把一沓票子塞进口袋。您数错了,他说。我想他本应该在叫我签字之前要我数,这肯定会更准确。我怎么能找到您,他说,必要的时候?在楼梯下面,我想到了一件事。过了一会儿我又上去问他这钱是从哪儿给我的,我补充说我有权知道这一点。他向我说了一个女人的名字,我记不得了。也许当我还在襁褓里的时候她把我抱在她膝盖上,我向她表示了我的温情。有时候这就足够了。我说得对,是在襁褓中,因为后来再温情就会太迟了。所以正是靠了这些钱,我现在手头还有一点钱。很少的钱。用来花在我未来的生活中,这几乎等于零,除非我因为悲观做了错误的预测。我敲敲帽子边的隔板,要是我估计准确的话就敲在马车夫的背上了。软垫上喷出一大片灰尘。我从口袋里拿出一块石头,用石头敲着,直到马车停下。我发现和大多数的车辆表现出的一样,它停下不动前没有减速。没有,突然就停了。我等待着。马车颤动着。马车夫在他高高的座位上,大概在听着。因为我用肉眼看见了马。它没有在这小小的歇息中显出萎靡的姿势,它仍然全神贯注,耳朵竖着。我透过窗户望着，我们重新行进。我又敲打隔板，直至马车重新停下。马车夫边咒骂着边从他的座位上下来。我把玻璃放低，免得他贸然地打开车门。快点，快点。他脸更红了，可以说是紫色了。愤怒了，或者说跑得像风一样。我对他说我雇了他一整天。他说三点钟他有个送葬。啊？死人。我对他说我不再想去动物园了。我们不再去动物园了，我说。他回答说我们无论去哪儿对他来说都是一样的，只要不是太远，因为他的牲口受不了。人们对我们谈起了原始人的语言特性。我问他是否知道一个餐馆。我补充说，您可以和我一起吃。在这些地方，我还是喜欢和一个常客待在一起。那里有一张长桌，两边放了两条正好同样长度的长凳。穿过桌子他向我谈起他的生活，他的女人，他的牲口，然后又是他的生活，他的悲惨的生活，主要是因为他的性格。他问我是否明白无论是什么天气都在外面意味着什么。我知道还有一些马车夫热天待在停着的车里，等着客人来摇动马车。以前可以这样做，但是今天要是还想在他最后的日子里捞到钱就得用别的方法。我向他描述我的状况，我已经失去的和我正在寻找的。我们两个都竭尽所能来理解来解释。他明白我已经失去了我的房间，必须另外找一间，但别的他就遗漏了。

他记住了我在寻找一个带家具的房间，别的再没什么可以把这一点从他脑海里驱走。他从口袋里掏出一张昨天的晚报，也许是前天的，动手浏览报纸上的小广告，他用细细的笔标出了五六个，和在要开的彩票上颤巍巍地标示的一样。他也许要标出他在我的情况下会标出的广告，或者是那些打发到同一个地区的广告，出于他的牲口的缘故。我仅仅是要打断他，告诉他，关于我房间里的家具，我只接受床，必须把其他所有的家具乃至床头柜都从那里搬走，之后我才同意在那里安顿。将近三点钟时，我们把马唤醒，又开始上路。马车夫建议我坐到座位上，就在他旁边，但好长一段时间以来我已经在想马车内部，我又坐上了我的位置。我们一个接一个地（但愿是有条理地）参观了他标出来的地址。冬季短暂的一天拖到了尾声。偶尔我觉得这就是我经历过的唯一的日子，尤其是我们心中这种充满魅力的时刻，这种黑夜磨灭之前的时刻。他标出来的地址，或者不如说是他像老百姓那样画了个十字的地址，随着它们显示出来的糟糕，都被他用一条对角线划去了。后来他把这张报纸给我看，劝我保留它，拿着它可以确定不会再徒劳地去找我已经找过的地方。尽管玻璃关上了，马车的叽叽嘎嘎声还是很响，奔跑发出声音，我还是听到他在唱歌，孤单地高高地坐在他那高高的座位上。他喜欢我胜过去送葬，这是一个会永恒持续的事件。他唱着歌。她远离她年轻的英雄沉睡的国度，这是我记得的唯一的歌词。在每一个停顿点，他都从他的座位上下来，帮我从我的座位上下来。我去敲他给我指出来的门，有几次我还消失在那些屋里。现在想起来，这让我很可笑，在这么长时间之后重新感受到自己周围有一间屋子。他在人行道上等我，帮我重新登上马车。我开始极其讨厌这个马车夫。他重新爬上他的座位，我们重新出发。到了一个特定的时候，发生了这件事。他停了。我甩掉自己的昏沉，摆好下车的姿势。但他没来开门，向我伸出手臂，以至我不得不一个人下车。他正在点灯。我喜欢煤油灯，尽管它们跟蜡烛一样，是我最初体验到的光芒，如果除开天上的星星不算的话。我问他我是否可以点第二盏灯，因为第一盏灯他已经自己点燃了。他把他的火柴盒给我，我打开装在合页上的凸出的玻璃，点火，又马上关上，让灯芯静静地明亮地燃烧，在它小小的屋子里暖和和的，避开了风。我感到了这种愉快。就着这灯的光，我们什么都看不到，除了马的朦朦胧胧的轮廓，但别人从远处看得见这光，是缓缓航行的没有羁绊的两块黄斑。当挽具转弯时，人们看得见一只眼睛，根据情况呈现出红色或绿色，就像彩绘玻璃窗里清澈的锐利凸出的菱形。

最后一个地址验证完，马车夫建议我到他熟悉的一个旅馆去，我在那儿会很舒服。这样靠得住，马车夫，旅馆，这看起来像真的。有他推荐我什么都不会缺。设备齐全，他说，同时眨了眨眼。我确定了这个谈话的位置是在人行道上，在我刚刚出来的房屋前面。在灯下，我记起马儿空空的潮湿的肋部，和马车夫戴着羊毛手套抓在门把手上的手。我把整个头探出马车的车顶。我向他建议去喝一杯。马一天都没吃没喝。我向他提醒这一点，他回答我说他的马只在回马厩时吃一次东西恢复元气。要是它在干活时吃了一丁点东西，哪怕是一个苹果或是一小片糖，它都会肚子疼，拉肚子，让它走不远，甚至有可能会要它的命。因此每当他因为这种或那种原因要走开时，他不得不用皮带捆住它的口，免得它因为路人的好心而吃苦。喝了几杯后马车夫请我赏给他和他妻子一个荣幸，去他们家过夜。离这儿不远。借着时间间距带来的帮助，我细细地考虑了一下，觉得他那一天就仅仅是围着他家在打转。穿过一个院子，他们住在一个农具库上面。一个很出色的地方，我会满意的。在把我介绍给他那屁股硕大的妻子之后,他就离开了我们。单独和我待在一起,她不自在,这看得出来。我理解她,在这种情况下我并不拘束。没有理由去让这结束或继续。那就让这结束吧。我说我要下到农具库去睡觉。马车夫反对。我坚持。他提醒他妻子注意我头顶上的一个脓包,因为我出于礼节已经脱了帽子。必须叫人割掉这个,她说。马车夫说了一个他极为尊重的医生的名字,这个医生曾经给他割掉了屁股底下的一个硬块。要是他想睡在农具库,他妻子说,那就让他睡在农具库吧。马车夫拿起桌子上的灯,把他妻子留在黑暗中,在我前面走下通往农具库的楼梯(还不如说是一架梯子)。他在一个角落里的稻草上就地摊开一床马毯,给我留下一盒火柴,万一我夜里需要看东西。我现在记不起马在这段时间做了什么。躺在黑暗中,我听到它喝东西发出的声音,这很特别,还有老鼠突然跑动的声音,和我头上马车夫和他妻子正压低了嗓门评论我的声音。我手里拿着一个火柴盒,一大盒瑞典火柴。我在夜里起身,擦了一根。它短促的火光让我找到了马车。我突然有了放火烧农具库的念头,然后这念头又离开了。我在黑暗中找到了马车,我打开车门,一些老鼠从里面跑出来,我进到里面。在安顿下来的时候我马上注意到马车不是垂直放着的，这是必然的，车辕放在地上。这更好，这可以让我很好地翻身，脚比放在另一条长凳上的头更高。夜里有几次我感到马透过窗在看着我，还有它鼻孔呼出的气息。卸了套的马大概觉得我在马车里的出现很奇怪。因为忘了盖毯子，我感到冷，但是还没冷到要去找毯子的地步。透过马车的窗我看见农具库的窗户变得越来越清晰。我从马车里出来。农具库里没那么暗，我模糊地看见食槽、喂草架、挂着的马具什么的，还有桶和刷子。我走到门边,却打不开门。马的眼跟着我。这些马,难道它们从来不睡觉的吗?在我看来马车夫肯定把马拴住了,比如在食槽前面的时候。我不得不从窗户出去。这并不简单。但什么简单呢?我首先把头伸出去,把手撑在院子里的地上,我的髋还在扭来扭去,被卡在框之间。我记得那时我为了脱身,用两手拉住草丛。我本应该脱了帽子把它从窗户中扔出去,那本该想到的。一出了院子我想到了某些事。累。我在火柴盒里塞了一张票子,回到院子,把火柴盒放在我刚才穿出来的窗户的边缘。马在窗户那儿。但我在街上走了几步,又回到院子,拿起了我的票子。火柴我留在那儿,它们不属于我。马还是在窗户那儿。我厌烦透了这匹马。黎明刚刚拉开。我不知道我在哪儿。我按照判断选了太阳升起来的方向,为了更早被照亮。我本想要一个海平面,或是一个沙漠的地平线。当我在外面时,早晨,我走去迎接太阳,夜晚,当我在外面,我也是如此,直至走到死人那儿。我不知道为什么我说了这个故事。我本该好好讲另一个故事。也许下次我会讲另一个故事。有生命的灵魂啊,你们会看到它们是相似的。

初 恋

曾晓阳 译

不管对不对，我总把我结婚一事与我父亲的死，在时间上，联系起来。也许在这两件事之间，从另一些方面来看，存在着其他的联系，这有可能。将自己以为知道的东西说出来，这在我已是件难事。

不久之前，我去了我父亲的坟上，这事我心知肚明，而且我抄下了他去世的日期，只抄了去世的日期，因为他出生的那一天于我无关紧要。我早上去的，晚上就回来了，在墓园里草草吃了点东西。然而几天后，我想知道他死的时候有多大岁数，只得再次回到他的坟墓那里，抄下他的出生日期。这两个界限分明的日期，我把它们记录在一片纸头上，放在眼前。正是靠这我才得以断定在我结婚的时候，我应该有二十五岁上下。因为我自己的出生日期，我说清楚了，我自己的出生日期，我从来没有忘记，我从来没有必要把它写下来，它以数字的形式一直铭刻在我的记忆中,经年累月难以抹去,至少出生的年份是如此。还有日期也一样,我努力一下就能重新想起,而且我常常,用我自己的方式,庆祝这个日子,我不是指每次这个日子来临时都这样,不,因为它来临得过于频繁,的确频繁。

就个人而言,我对墓园一点也不反感,我挺乐意去那里散步,我想,在我非外出不可的时候,我更乐意去墓园而不是其他地方。尸体的气味,从草和腐土气味底下清晰传到我的鼻端,我并不觉得难闻。也许有点过于甜腻,有点让人感到晕头晕脑的,但是比起活人的味道,比腋窝、脚指头、屁眼儿、蜡一般黄的包皮以及剪开口的药栓剂的味道,它不知要好闻多少倍。而且想到我父亲的遗骸也汇入其中,尽管是那么微乎其微,我的泪水也几乎涌上眼眶。他们白洗了澡,那些活着的人,他们白喷了香水,他们臭气熏天。是啊,当我们不得不外出的时候,作为散步的场地,把墓地留给我吧,你们,你们去公园,或者去乡下漫步吧。我的三明治,我的香蕉,我在一座坟上吃起来更加可口,而且要是我突然想撒尿,我常常想撒尿,我大有选择之地。要么我背着双手,游荡在墓碑之间,它们有的直立,有的平放,有的倾斜,我逐一阅读上面的碑文。这些碑文,从来没让我失望过，总是有三四条可笑至极，我不得不紧紧抓住十字架，或者石碑，或者天使像，免得笑倒在地。我自己的碑文，很久以前我就已经撰写好了，而且我一直对它感到满意，相当满意。我写的其他东西，墨迹还没来得及干就已经让我感到厌烦了，可是我的墓志铭一直合我心意。它阐明了一个基本原理。不幸的是它几乎没有机会能有朝一日在这个构思了它的头颅上竖起，除非国家插手料理。然而要查找到我的坟墓，必须得先找到我，而我很担心无论是在找到我的死人还是我的活人上，国家都会困难重重。正是因为如此，我赶紧在这里记下我的墓志铭，免得到时就太迟了：

长眠于此者常于此逃离
愿此人仅于此时于此逃离

在第二句也就是最后一句诗中，多了一个音节，但是依我之见，这无关紧要。当我人已经不在的时候，人们会对我更加宽容的。有的时候加上一点儿运气，还能碰上一场真正的葬礼，一些活着的人身着丧服，有时还有个寡妇想跳进那个墓穴里，几乎总能看见这种尘土飞扬、虚情假意的美事，尽管我注意到这些坑的确是积满泥土，几乎总是很黏稠的泥土，而且死者更是浑身上下一尘不染，除非是被烧死的。这毕竟还是很好看，这出小小的尘土喜剧。可是我父亲所在的墓园，我倒并不特别把它放在心上。它太远了，完全在乡下地方，在一个山坡上，而且也太小，过于小了。再者几乎可以说它已经满了，只要再多几个寡妇就再也没有位子了。我非常喜欢奥尔斯道夫，尤其是靠林尼这一边，坐落在普鲁士的土地上，拥有四百公顷紧紧地挤在一起的尸体，尽管里面我一个人也不认识，除了那个驯兽师哈根贝克之外，他盛名远扬。在他的墓碑上刻着一头狮子，我想。对哈根贝克来说，死神应该长着张狮子的面孔。大客车来来往往，挤满了鳏夫、寡妇，还有孤儿。树丛、岩洞、水池，还有几只天鹅，时时刻刻慰藉着悲痛的人们。那正是十二月份，我从来没有感到过这么冷，鳗鱼汤让我的胃很不舒服，我担心自己要死了，我停下来呕吐起来，我嫉妒那些悲痛的人。

不过，现在来谈谈另一个没那么悲伤的题材，在我父亲去世之时，我不得不离开家。是他想让我留在家里的。那是个古怪的人。有一天，他说，让他留下吧，他不妨碍任何人。他不知道我在一旁听着。这个想法他可能经常表达，但是那些时候我不在场。人们从来不愿让我看他的遗嘱，只是告诉我他给我留下了多少多少钱。我当时相信,而且至今我仍然相信,在他的遗嘱中,他要求人们把我在他生前住的房间留给我,人们把吃的东西给我端到房间里,就像过去一样。这也许甚至是其余所有内容的先决条件。因为他应该喜欢感觉到我在家里,否则以前他就不会反对人们把我赶出去。也许他仅仅是怜悯我。可是我不相信这一点。他本该把整幢房子都遗留给我,这样我就省心了,而且其他人也一样,因为我会对他们说,留下吧,这是你们的家!那是一幢巨大的房子。是的,他上了个大当,我可怜的父亲,要是他的的确确想继续庇护我,即便身在冥间。至于钱,公平地说,他们即刻就交给了我,就在葬礼后的第二天。也许实际上他们也别无他法。我跟他们说,你们留下这笔钱吧,让我继续住在这里,在我的房间里,就像爸爸在世一样。我希望能讨他们欢心,还说了句,但愿他灵魂得救。但是他们不愿意。我建议他们支使我,每天几个小时,去干一些琐碎的维护整幢房子所需要的活,如果他们不希望房子颓然倒塌的话。干些零活,这仍然是一件可以接受的事情,我不知道其原因何在。我尤其向他们建议让我负责暖房。在那儿我会乐意每天花三四个小时,在温暖之中,照料番茄、石竹、风信子、苗木。在这幢房子里,只有我父亲和我懂得番茄。但是他们不愿意。一天，从厕所出来，我发现我的房门锁上了，我的东西堆在门口。我是要告诉您，在当时我便秘得有多厉害。是焦虑让我便秘，我想。但是我真正便秘吗？我不认为。平静点，平静点。然而我应该患了便秘，要不然怎样解释一次次在厕所里、在抽水马桶上待的又漫长又难受的时间？我从来不看书，在那里不看，在其他地方也一样，我既不做梦也不思索，我茫然地盯着眼前挂在一根钉子上的年历，上面有一张彩色画像，一个一脸胡子的年轻男子被羊群簇拥着，那应该是耶稣。我用手分开屁股，叫道，一！吭！二！吭！还伴随着划桨的动作，我只急着做一件事情，回到房间躺下。那确实是便秘了，不是吗？要不然我是不是把它和腹泻混为一谈了？所有事情都在我的头脑里搅在一起，墓园，还有婚礼，还有各式各样的马桶。我的东西不多，他们把这些东西堆在地上，靠着门，我现在还看得见它们所形成的那一小堆，仿佛簇簇黑影，把走廊和我的房间隔开来。就是在这一块三面都堵上的空间里，我被迫换上衣服，我的意思是把身上的睡袍和睡衣换成旅行服装，我指的是袜子、鞋子、长裤、衬衫、上衣、大衣和帽子，我希望我什么都没落下。在离开房子前，我试着去开其他房门，我转动门把手，推门,但是没有一扇门让步。如果我找到了一间开着的房门,我想我会驻扎在内,只有瓦斯才能让我从里面出来。我感到房子里和平时一样到处都是人,但是我一个人也看不见。我相信人人都把自己关在自己房中,竖着耳朵。随后一听到临街的那扇门在我身后关上的声响,所有人一下子都拥到窗前,有点缩着身子,严严实实地躲在窗帘后面,我本该让那扇门开着的。于是,所有的房门都打开了,所有人都出来了,男的、女的、小的,每人都从自己房里出来,于是说话声、叹息声、微笑声、拍手声、钥匙在手中的晃动声、长长的吁气声,随后提醒注意次序,如果这样就那样,但是如果那样就这样,一片真正的节日气氛,人人都明白了,吃饭,吃饭,那个房间可以等等。这一切当然都是想象,因为我从此不在那了。事情也许完全是另一副模样,不过,既然事情发生了,它们发生的方式,又有什么紧要呢? 片片亲吻过我的嘴唇,这一颗颗爱过我的心——人们的确是用心去爱的,不是吗,要不然我把它与其他东西弄混了?——这一只只和我的双手一块游戏过的手,还有这一个个差点支配了我的人! 人真的很古怪。可怜的爸爸,那天他应该烦透了,如果他能够看到我,看到我们的话,我的意思是他是为我而烦恼。除非,以他脱离肉身的灵魂的大智大慧,他看得比他的儿子远,后者的身体还没有发育完全。

现在还是去谈谈一个比较愉快的话题吧,那就是在那不久之后,那个我与她结合在一起的女人的名字,那个可爱的名字,就是吕吕。至少她向我肯定她叫这个名字,而且我也看不到,在这方面,她骗我能有什么好处。当然,这谁也说不准。由于她不是法国人,她一直把自己的名字读成露露。而我,我也不是法国人,我和她一样也读成露露。我们两个,全都读成露露。她还告诉我她的姓,可我忘了。我本来应该记下来,记在一片纸头上,我不喜欢忘记人的姓名。我在一张凳子上认识了她,在运河边上,其中的一条运河,因为我们的城市有两条运河,可我从来无法区分它们。那张凳子位置非常好,背靠着一堆已经硬化的泥土和碎石,这样一来我就无后顾之忧了。我的身体两侧也一样,部分地受到保护,这多亏了两棵古树,它们甚至已经枯死了,就侧立在凳子两旁。也许正是这些树,在一个它们枝繁叶茂的日子,让某个人起了个念头,在此安置了一张凳子。前面,几米远处,运河流淌着,希望运河在流淌着,我自己对此一无所知,这样一来我恐怕也不会从那边遭遇什么意想不到的事。然而她却出其不意地出现在我眼前。我正躺着，天气温和，我越过那两棵树支在我头上的光秃秃的树枝，越过断断续续的云层，看着一角星空忽隐忽现。挪个位子给我，她说。我的第一个反应就是走开，但是疲惫，再加上事实上我不知道该去哪儿，阻碍我这样做下去。我于是把双脚稍稍收回缩在身下，她便坐下了。那天晚上，我们之间什么也没发生，而且她很快就走了，没有跟我说过话。她只是在哼着歌，仿佛是哼给她自己听的，还好没有哼歌词，那是当地的一些老歌，而且她哼的方式非常古怪，把歌全都弄得支离破碎，从一首歌一下子跑到另一首，随后又回到她刚刚中断的那一首歌继而又哼完她相对而言比较喜欢的那一首。她五音不全但还算好听。我感到她很快就厌倦起来，永远也做不完任何事，在所有女人中来看，她也许是最不讨人厌的。甚至连那张凳子，她也很快就烦了，至于我，对她而言，瞥一眼也就够了。实际上，这是一个极其偏执的女人。她又回来了，第二天，第三天，事情几乎以同样的方式继续进行。我们也许交谈了几句。再过了一天，下起雨来，我觉得自己安静了，但是我错了。我问她每晚来打扰我是不是她计划好了的。我打扰您啦？她说。她也许在注视我。她应该看不出什么所以然来。也许两片眼皮，一点鼻子，一点前额，模模糊糊的，因为我在暗处。我还以为我们相处很好呢，她说。您打扰我了，我说，您在那儿我没法躺下。我埋在大衣领子里说着，不过她仍然听得见我。您那么想躺下？她说。人们的错误，就是在于与人攀谈。您只要把您的双脚放在我的膝头上就行了，她说。我老实不客气地就这么做了。我感到自己细瘦的脚腿下她那圆鼓鼓的大腿。她开始抚摩我的脚踝。要是我给她一脚，我寻思道。人们一讲到人躺着，眼前马上就会浮现起一具伸展着的躯体。而我所感兴趣的事情，虽毫无理由，但对我而言是至高无上的——我那副骨架的位置只不过是事情那最遥远最微不足道的映象——那是思维做的一个后旋动作，自我意识处于半昏睡状态，其余包含种种凡人琐事的无足轻重之物也处于同样状态，人们称后者为非我，甚至出于懒惰，径直就称之为世界。可是在二十五岁时，它还能挺起，时不时的，现代人，在肉欲上是一样的，这是每个人的命定之事，我自己也免不了如此，如果人们可以称此为挺起的话。她当然注意到了，女人有本事在十公里远处嗅到空中有个阴茎勃起，于是便寻思，他怎么能看到我，那个家伙？在这种情形下，人们无法把持自己，而无法把持自己是件令人痛苦的事情，不过无论如何，若是能够把持自己会更加痛苦。因为当我们能够把持自己时，我们知道我们要做什么事情，目的却在令自制力降低，但是当我们把持不了自己的时候，我们本身已经完全无所谓了，再没有缓和的办法了。人们所谓的爱情，就是流放，时不时有一张来自家乡的明信片，这就是我那晚的感受。当她做完了的时候，当属于我自己的那个我，那个被驯服了的人，在短暂的无意识之后恢复过来时，我发现自己独自一人。我寻思这所有的一切是否都是臆想，实际上是否事情的经过完全是另一副模样，是按照一种我应该遗忘的程序发生的。然而，对我而言，她的形象与凳子的形象一直联系在一起，不是与深夜的凳子而是与晚上的凳子的形象相联系，以至一说到凳子，想起晚上它在我眼中的样子，对我而言，就是在说她。这并不能证明什么，但我什么也不想证明。至于白天的凳子，用不着去谈论，我不在那儿，我一大早就离开它，只是在下午快完的时候才回到那儿去。是的，白天我找吃的，而且我找出那些救济处的位置。如果您问我，您肯定有这个想法，我是怎么处置我父亲给我留下的那笔钱的，我会告诉您我一点也没动它，我一直把它保存在我的口袋里。因为我知道我不会永远年轻，而且夏天不会永无止境，甚至秋天也不会，我那实惠的灵魂一直在提醒我这一点。最后，我告诉她我厌倦了。她大大地打扰了我，甚至当她不在时也是如此。而且她一直都在打扰我，不过她与其他事物没什么两样。此外，目前，受到打扰于我已经没什么了，或者影响非常小，受到打扰，这意味着什么，我甚至必须已经受到了打扰才能这么说，我改变了方式，我下了个赌注，这是第九次或者第十次加倍投注了，随后这很快就结束了，那些麻烦事，那些解决方法，很快就不会再谈论了，既不谈她也不谈其他人，既不骂街也不感谢上苍。那您不愿意我再来啦？她说。人们总是重复别人刚刚跟他们讲的话，真是令人难以置信，仿佛他们要是相信自己的耳朵的话就有可能遭到火焚。我跟她说时不时地来一下。那时，我不了解女人。而且我一直都不了解她们。还有男人。还有动物。我最了解的，就是我的痛苦。每一天，我都想着它们全部，这很快，思想去得非常快，但是它们并不全都源于思想。是啊，有些时候，尤其是下午，我觉得自己是个诸说混合论者，像亨霍尔德那样。何等的平衡啊。不过，我的痛苦，我对它们也不了解。这应该是由于我并不仅仅感到痛苦。这就是诀窍所在了。于是我远远地避开痛苦，直至对另一个星球产生惊诧，产生敬仰的程度。很罕见，但这足矣。生活，不算太傻。倘若仅有痛苦，这会多大程度地简化事情啊！一味痛苦！可这会成为某种竞争，而且还是不光明正大的。有朝一日，如果我想到了，如果我能够的话，我还会跟您，详详细细地讲讲我那些稀奇古怪的痛苦，而且我会明确地将它们区别开来，以便说得更清楚。我会跟您讲我的种种痛苦，智力上的，情感上的，灵魂上的（非常可爱，灵魂上的痛苦），随后还有身体上的，体内的或先是隐而不见，随后又浮现于表面的，我从头发开始逐一细数，从容不迫有条不紊地一直下到脚、鸡眼、抽筋、大足趾上的老茧、嵌入肉内的脚指甲、冻疮、脚腕扭伤以及其他各种各样古怪的毛病。对那些挺客气地听我讲的人，我会利用同一个机会，按照一种我忘记其创造者是何许人也的方式，讲述在既没有吸毒，又没有酗酒，也没有精神恍惚的情况下，我什么也感觉不到的时刻。而她当然想知道我说时不时来一下是什么意思，瞧瞧，这就是人们一张开口，就招惹来的麻烦事了。每个星期？每十天？每两个星期？我跟她说不要那么常来，来得更少些，如果可能的话再也别来了，如果不行的话，尽可能少来。而且，第二天我弃那张凳子而去，我得说明这不是因为她而是因为凳子本身，它的状况已经不符合我那尽管并不过分的要求了，因为初冬的寒意开始让人感觉到了，而且还有其他理由，对你们这样的笨蛋，说了也是白说，于是我就避到了在我行走途中发现的一个废弃的牛栏里。它位于一块田地的角上，这块田表面上看荨麻比草多，烂泥又比荨麻多，然而它的下层土里也许拥有某些非凡的特性。这个牛栏里面满是空心的干牛粪，我把指头一插进去，它们就在一声叹息中碎了，正是在这里面，我生平第一次，如果我手头有足够的吗啡的话，我乐意称之为生平最后一次，我得去抵制一种在我已冷漠的心灵中慢慢地窃取爱情那个讨厌名称的情感。造就了我们这个地方的魅力的东西，当然人烟稀少这个事实除外——尽管在这个地方连一只避孕套都无法弄到，那就是在这里一切都无人照管，除了那些古旧的具有历史性的便桶。这些东西，人们狂热地把它们收集起来，用麦秆裹着，成队成队地随身携带着到处招摇。无论在哪里，只要老天厌恶地露出一副美丽的柴灰色模样，您就会看到我们的那些爱国人士，蹲着，呼呼地吸着气，满面激动鼓励。那是无家可归者的天堂。总算有这点解释了我的幸福。一切都鼓励人们去卑躬屈节。在这些评判之间我看不到有什么联系。但其中应该有一种，甚至几种联系，在我看来，这是毋庸置疑的。但那是什么联系呢？是的，我爱她，这是当时我对自己在那个时期的所作所为给予的称呼，唉，我至今还一直如此称呼。由于我以前从未爱过，我在这方面也没有掌握什么资料，但是我听人讲过这事，当然了，在家里、在学校、在妓院、在教室里都听过，而且我还读过小说，有散文式的也有诗歌式的，在我的监护人的指导下，看过英文、法文、意大利文、德文写的小说，里面对这个问题总是大书特书。因此，在我突然看到自己正把吕吕这两个字写在一块干的小牛粪上，或者在我沐浴着月光躺在污泥里试图拔下荨麻而不折断其枝茎时，我还是有能力给我的所作所为下一个定义的。那些荨麻都生得巨大无比，足有一米高，我拔掉它们，这让我感到心情舒畅，可是拔掉杂草并不符合我的性格，恰恰相反，如果有足够的肥料的话，我会把它们喂得饱饱的。花，是另一回事。爱情让人变得烦躁易怒，这是肯定的事。但到底是什么样的爱呢？是狂热的爱？我不相信。因为求雌狂才是狂热的爱，难道不是吗？或者我把它和另一种类搞混了？爱的种类数不胜数，不是吗？每一种都比另一种美，不是吗？比如，柏拉图式的爱，瞧我刚刚想起了这一种。这是一种无私的爱。也许我对她的爱是一种柏拉图式的爱？我难以相信这点。如果我以一种纯洁无私的爱在爱着她，我会把她的名字写在干牛粪上吗?此外,我不在事后吮吸我的手指头?好啦,好啦。我想着吕吕,照我看来,如果这还没有说明一切的话,也说得够多的了。比如,我对吕吕这个名字厌倦起来,我要给她另起一个名字,这次只用一个音节,比如,安娜,这不止一个音节,不过也没什么关系。那么我在想着安娜,我这个已经学会了什么也不想的人,除了飞快地想想我的痛苦之外,后来我还学会考虑那些得争取的措施,以免饿死,或冻死或羞愧而死,但是我从未以任何借口想过活生生的人(我寻思这意味着什么),无论在这方面我说过什么,或者我有可能说些什么。因为我过去总在谈论,而且将来也会一直谈论那从未存在过的事物,或者存在过的事物,您爱这么说也可以,以及有可能会永远存在的事物,但我没有谈过我认为它们所具有的寿命。比如,法式军帽,确实存在着,而且要它们有朝一日消失于世几乎是没什么指望的事,可是我,我从没有戴过一顶军帽,不,不对。我在某个地方写过,他们给过我……一顶帽子。然而"他们"从没有给过我帽子,我一直保留着属于自己的那顶帽子,我父亲给我的那顶,除了那顶帽子外我从来没有其他帽子。而且,它一直随我到死。那么当时我在想着安娜,很想,很想,每天二十分钟、二十五分钟直到半个小时。我是通过把其他更小的数字加起来得到这些数字的。这应该是我本人的爱法。是否应当由此得出结论,我是在一个不同的地方以这种精神之爱的方式爱着她,而这已经让我避免了许多蠢事,在另外一个地方?我无法相信这点。因为如果过去我是以这种方式爱着她,那么我会乐于把安娜这两个字画在经年累月的牛粪上,会乐于大把大把地拔掉荨麻吗?我会在我的头脑中感到她的大腿如同两条着了魔的长枕头在不停颤动吗?为了结束,为了试图结束这种状况,一天晚上,按照她以前来与我碰头的时间,我回到了那张凳子所在的地点。她不在那儿,我白等了她。那已经是十二月了,不然就是一月份,正当寒冷时节,也就是说冷得很好,很合理,完美,正如一切合乎时令之物。然而,回到牛栏后,我急急忙忙拼凑了一个理由,让自己安安稳稳睡了一夜,这个理由的基础就是正式的时间如同年份之于日期一样,有着各种各样的方式铭刻在空气中与天空中,也同样铭刻在人的心中。因此第二天,我又回到凳子那儿,去得更早,早得多,就在严格意义上的夜晚降临之初,但还是太迟了,因为她已经在那儿了,在凳子上面,在结了冰霜、摇摇欲坠的枝条下面,面对着寒意彻骨的河水。我跟您说过那是个极端固执的女人。坟上已是冰霜皑皑。我一点感觉也没有。她这样纠缠我能有什么好处？我没有坐下，一边走来走去跺着脚取暖，一边问她这是为什么。寒冷把路弄得凹凸不平。她回答我说她不知道。她能在我身上看出什么呢？我求她告诉我，如果她能够的话。她回答我说她不能。她看上去穿得很暖和。她的双手一直藏在暖手笼里。我记得，看着这只暖手笼，我哭了起来。然而我却忘记它是什么颜色的了。事情进展不利。我总是容易哭，却从来没有从中获得过半点好处，直至近来仍是如此。我应当在我连一滴眼泪都挤不出的时刻哭，我真的这样认为。事情进展不利。正是这些事让我流泪。然而我却并无悲戚之感。当我突然发现自己无端端地在流泪之时，那是因为我看到了某个东西，而我自己并不知道这一点。因此我现在寻思那天晚上，是否真的是那只暖手笼让我落泪，或者更多是由于那条小径，它的那种僵硬，它的凸起部分让我想起铺路石，或者是还有另一件东西，我在不知不觉中看到的某个东西。可以说我是第一次看见了她。她整个人都缩成一团，裹着暖暖的衣服，歪着头，套着双手的暖手笼搁在膝上，双腿紧紧地夹着，鞋跟离地。没有体形，没有年龄，几乎没有生命，可以是一个老年妇女，也可以是一个小女孩。还有这种回答方式：我不知道，我不能。单单我一个人既不知道也不能。您是为了我而来的吗？我说。是的，她说。那么，我来了，我说。那我呢？难道我不是为了她而来的吗？我来了，我来了，我自言自语道。我在她旁边坐下，但即刻一跃而起，仿佛是坐在了一块热铁上。我想走，以便知道这是否结束了。但是为了更加稳妥起见，在走之前，我请她给我唱一首歌。我起先以为她会拒绝，我仅仅是指不唱，然而没有，过了一会儿她开始唱起来，而且还唱了好长一阵子，我猜唱的始终是同一首歌，而且她也没有改变姿势。我不知道这首歌，我从未听过而且也永远不会再听到。我仅仅记得里面讲到柠檬树，或者橙子树，我已经想不起到底是柠檬树还是橙子树了，但对我而言这是一个成功，记住里面讲了柠檬树，或者橙子树，因为在我一生中听到过的其他歌曲中，我的确听到过，因为可以说不可能在生活中，甚至像我自己那样的生活中，没有听过人唱歌，实际上是不可能的事情，除非是聋子，但是我什么也没有记下来，一个字，一个音符也没有记住，或者说记住了少之又少的字，少之又少的音符，应该说，什么也没有，一点也没有记住，这句话说得不利索。随后我离开了，就在我远去的同时，我听见她在唱另一首歌，或者也许就是那同一首歌的余下部分，歌声微弱，而且随着我越走越远，歌声也越来越弱，最后停了下来，也许是她唱完了，也许是我走得太远听不见了。我不喜欢保持这样一种不明确的状态，在那时，我当然生活在不明确之中，沉湎于不明确之中，但是这种无足轻重的不明确，正如人们所说是属于物质范畴，我还是愿意即刻摆脱，否则它们能像牛虻一样，烦扰我几个星期。我因此朝后退了几步站住了。起先，我什么都听不见，随后我听见了歌声，但隐隐约约的，因为声音传到我那儿已经很微弱了。我听不见了，后来又听见了，所以我应该是在某个特定的时刻，开始听见歌声，可实际上不是这样，歌声无所谓开始，因为它是那样轻柔地从沉寂中发出，而它又是那样宛如沉寂。当歌声终于停下的时候，我还朝它的方向走了几步，以确定它停下来了而不是仅仅压低了而已。随后我失望了，对自己说，我怎么能够知道呢，除非来到她身旁，朝她欠下身子，于是我掉头走了，真的走了，满怀疑云。然而几个星期后，我半死不活的，又回到凳子那儿，从我弃之而去算起这已经是第四或第五次了，我几乎总是在同一时刻回去，我的意思是几乎总是在同一片天空下，不，也不是这样，因为那总是同一片天空可也从来不是同一片天空，怎样解释这件事呢，我不去解释了，就这样。她不在那儿。可突然她在那儿了，我不知道她是怎样冒出来的，我没有看见她来，也没听见她来，可是我一直处于戒备状态。姑且说天在下雨吧，这会让我们有所改变，有一点点。她躲在一把雨伞下，当然，她应该有一套了不起的行头。我问她是不是每天晚上都来。不，她说，只是时不时来。凳子太湿了，我们不敢坐上去。我们漫无目的地走着，出于好奇，我挽住她的胳膊，想看看这是否会让我感到愉快，但这丝毫没有让我感到愉快，于是我便放开了。可是为什么说这些细节呢？为了让那个必定到来的日子慢点来。她的脸我看得比较清楚。我觉得她相貌平平，她的脸，一张与芸芸众生没什么差别的脸。她，可是我是在之后才知道这个的。她看上去既不年轻也不衰老，她的脸，仿佛停滞在鲜艳与憔悴之间。在那时候，我难以容忍这种类型的含糊。至于观其面目而知道她是否美丽，或者她是否曾经美丽，或者她是否有机会变得美丽，我承认我的确没有这个能力。我看过照片上的一些面孔，我也许可以称之为美丽，如果我对美有着某些认识的话。而且我父亲的脸，在他死去的床上，让我瞥见了人类的一种可能的美。可是那些活人的脸，总是在装模作样，血脉偾张,难道可以成为观察的对象吗?尽管是在黑暗之中,尽管我心绪不宁,我仍然欣赏波澜不兴,或者缓慢流淌的河水在上游河水泻落之时,水花翻腾的样子,一副渴求的模样。她问我想不想让她给我喝些什么。我回答说不,我希望她跟我说些什么。我以为她会跟我说她没什么可跟我说的,这应该是符合她的性格的。因此听到她说她有一个房间,我感到意外却满心愉快,非常惊喜。不过这在我意料之中。谁没有自己的房间呢?啊,我听见杂音了。我有两个房间,她说。您到底有几个房间?我说。她回答说她有两个房间和一个厨房。每一次数目都在增长。她最后还会想起一间浴室。您的确说两个房间?我说。是,她说,一间挨着另一间?我说。终于有一个配得上谈话主题这一名称的东西了。厨房在中间,她说。我问她为什么没有早点告诉我。要相信在那个时期,我一直控制不住自己。我在她身旁感觉不好,除了我觉得自己有想其他事物而不是她的自由外,这已经是很不容易的了,我想着那些经历过的陈年往事,一桩桩地想,就这样像一个台阶一个台阶地走下深深的水中一样,越想越近,直至什么也没有了。而且我知道离开她我将失去这份自由。

  的确是两个房间,中间由一个厨房分隔

开,她没有骗我。她跟我说我应该去把我的衣物拿来。我跟她解释说我没有衣物。我们身处一幢古宅的顶楼,通过窗户可以看到山,如果您愿意这么做的话。她点燃一盏煤油灯。您没有通电?我说。没有,她说,不过我有自来水和煤气。啊,我说,您有煤气。她开始脱衣服。当她们不知道该干什么好时,她们就脱衣服,这也许是她们最擅长的事情。她全脱了,动作缓慢至极,足以令一头大象发火,只留下长筒袜,它们也许是专门用来把我的兴奋推到极点的。就是在那时我发现她斜视。这幸亏不是我第一次看见一个赤身裸体的女人,因此我能够镇定自若,我知道她不会发作的。我跟她说我想看看另一个房间,因为我还没看过。如果我已经看过了,我会对她说我想再看一次。您不脱衣服?她说。哦,您知道,我说,我这个人不常脱衣服。的确,我从来不是个动不动就脱衣服的家伙。在我上床睡觉的时候,我常常脱掉鞋子,我指的是当我一本正经地(一本正经!)去睡觉的时候,随后我根据温度脱掉外面的衣服。因此,为了免得显得不亲切,她不得不披上一件便袍,拿上灯陪我走。我们从厨房那儿过去。我们本来完全可以从走廊那儿过去,这点是我后来才意识到的,但我们是从厨房那儿过去的,我不知道为什么。也许这是最直接的路。我厌恶地看着房间。家具的拥挤程度,匪夷所思。这个房间,我以前的的确确在哪里看到过。这是什么房间?我喊道。是客厅,她说。客厅。我开始把家具从开向走廊的那扇门那儿搬出去。她看着我做。她难过,至少我这么猜想,因为实际上我一无所知。她问我在干什么,但我想她并不期待得到一个回答。我把它们一个个地搬出去,甚至两个两个地抬出去,我把它们堆在走廊里,靠着尽头的那堵墙。大大小小,有成百个。它们最后一直堆到了门口,这样一来没有办法再走出房间,尤其是无法,从那儿,走进房间。可以开门,关门,因为门是朝内开的,但是它已经变得不可逾越了。一个的确有分量的字眼,不可逾越。您至少脱掉帽子,她说。我也许另找一次跟您讲讲我的帽子。最后房间里只剩下一件类似沙发的东西以及几个固定在墙上的架子。那张沙发,我把它一直拖到房间尽头,靠近那扇门,而那些架子第二天我就把它们都拆掉了,放在外面,走廊里,和其他东西堆在一起。在拆架子的时候,多古怪的回忆,我听见了纤维瘤或者纤维肿之类的词语,我不知道是哪个,我从来也没有弄清楚,我不知道那是什么意思,而且也从来没有起过好奇心去究其根源。我想起了什么事儿啊!还有我在转述什么事儿啊！当一切都井井有条的时候，我倒在沙发上。她连一根小指头都没有动一下，来帮我。我给您拿来床单和被子，她说。可是床单，我并不想要。您不愿意拉上窗帘吗？我说。窗户上覆满了冰霜。由于天暗下来了，窗户显得并不白，但是仍然有些发亮。我都把脚朝着门躺下了，它依然碍着我，这种微弱、冰冷的亮光。我一下子站起来，把沙发也就是那个长的靠背的位置换了一下，我起先把它靠着墙，现在我把它转过来，朝向外面。敞开的一边，像车站站台，现在轮到它靠着墙了。随后我爬进去，就像狗爬进自己的窝里一样。我把灯留给您，她说。但是我请她拿走。那要是您在晚上需要些什么东西怎么办呢？她说。她要开始喋喋不休了，我感到了这点。您知道厕所在哪儿吗？她说。她说得有理，我忘了这个。在自己床上解决，这在一时之间是件乐事，但之后却又让人不舒服。给我一个夜壶，我说。在相当长的一段时间里，我非常喜欢，至少相当喜欢夜壶一类的词语，它们让我想起了拉辛，或者波德莱尔，我不知道是哪个了，也许两者皆有，是的，我感到遗憾，我曾经读过书，而且通过它们我抵达了语言已经变得苍白无力的境地，似乎但丁就这么写过。可她没有夜壶。我有种便桶椅，她说。祖母在我眼前浮现，她坐在上面，像木桩那样一动不动，得意扬扬，她刚刚在一次义卖中，也许在一次实物摇奖中买下，对不起，得到它，那是一件古老的器具，她试着用它，或者不如说她在尝试，她几乎乐意让人人都看到。慢点，慢点。那给我一个简单的容器吧，我说。我不拉肚子。她拿着一个像平底锅模样的东西回来了，不过那不是一只真正的平底锅，因为它没有长柄，它呈椭圆形而且有两个把手还有一个盖子。这是双耳盖锅，她说。我不需要盖子，我说。您不需要盖子？她说。要是我说我需要盖子，她会说，您需要盖子？我把这个器皿放在被子下面，我在睡觉的时候手里喜欢拿着个什么东西，可我的帽子还是湿漉漉的。我转过身子对着墙壁。她从壁炉上面拿起灯，她先前把灯放在那里了，说得准确点，说得准确点，她的身影在我上方动来动去，我以为她准备离我而去了，然而没有，她过来越过沙发靠背，朝我俯下身。所有这些，都是家传的东西，她说。我要是她，我已经走了，踮起脚走了。但她没有动。主要是我已经开始不爱她了。是的，我已经感觉好些了，精神抖擞几乎就要慢慢地下降到那漫长的沉浸之中，由于她的过错，我已经很长时间被剥夺了这份乐趣。而且我才刚刚做到这一点。不过还是先睡吧。现在您试着把我赶出门，我说。这些话语的意思，甚至它们所发出的细微声响，我往往在说出它们几秒钟之后才意识到。我几乎没有说话的习惯，以至时不时会让一些从语法角度上看完美无缺，却乏味至极的句子从口中漏出，我指的是它们的实质，而不是说它们毫无意义，因为如果好好去研究的话，它们都有一个含义，而且有时还有好几个。不过声响，通常而言，我随时发出。这次的确是我的声音第一次这样缓慢地传到我耳中。我转过身仰躺着去看看发生什么事了。她在微笑。过了一会儿她走了，拿走了灯。我听见她穿过厨房把卧室门关在身后。我终于独自一人了，终于在黑暗中了。我不多说了。我以为自己前往甜甜的梦乡，尽管所处之地古怪，然而相反，我彻夜辗转反侧。我第二次醒来的时候疲惫不堪，身上衣服乱七八糟的，被子也一样，而安娜就在我身旁。当然是赤身裸体的了。她该费了多少神啊！我还一直抓着那个双耳盖锅。我看看里面。我没有用它。我看看自己的性具。要是它能说话就好了。我不多说了。这就是我的爱之夜。

慢慢地我的生活走上了正轨，在这间房子里。她按照我给她指示的时间给我端来三餐，她时不时来看看我是否一切安好，是否什么也不需要，她每天倒一次双耳盖锅，而且每天打扫一次房间。她一直抵挡不住诱惑要和我说话，不过总体而言，我没有什么可抱怨她的。我时不时听见她在自己的房间唱歌，她的歌声穿过她的房门，接着厨房，接着我房间的那扇门，就这样一直传到我耳中，声音细微但明确无疑。要不然歌声就是从走廊那里传过来的。时不时地听见唱歌，这对我没什么太大的妨碍。一天我叫她给我拿来一棵风信子，活的，种在花盆里。她给我拿来了，并且把它放在壁炉上面。在我的房间里，只有壁炉上面可以放些东西，否则就得放在地上。我每天都注视着它——我的风信子。它是粉红色的。我本来更喜欢蓝色的。起初它长得不错，甚至还开了几朵花，后来它蔫下来了，很快只剩下一支茎软绵绵地立在倒垂着的叶子中间。球茎仿佛在寻找氧气，半冒出土发出臭味。安娜想把它搬走，可我让她留下它。她想给我另买一棵，可我告诉她我不想要另一棵。比较打扰我的，是另一些声响，轻轻的笑声和呻吟声，在某些时刻，不管是白天还是晚上，房子里总是闷闷的，充满了这些声响。我不再想安娜了，而且是根本不想了，可我毕竟还需要宁静的生活。我自跟自己推理了，跟自己说空气是用来传输世上的各种声响的，笑声和呻吟声当然也大量汇入其中，可我的痛苦并不因此而减轻，我没法断定那些声响总是同一类型的或者是否存在好多种类型。轻轻的笑声和呻吟声，在它们俩之间，是那么相似！在当时，我极端厌恶自己每次对墙板所产生的这些微不足道的困惑，我想说每一次我都尝试做到心中有数。我花了很长时间，甚至可以说是整整一生，才得以明白，隐约看见的一只眼睛的颜色，或者远处一个小声的来源，在无名者的地狱中，要比上帝的存在，或者原生质的起源，或者自我的存在，更接近最后的审判，更要求智慧转过头来。这有点多了，整整一生，去得到这个安慰性的结论，您几乎没有剩下多少时间去从中得益了。我询问她，她告诉我那是她在一拨拨地接客，就这样我将时间大大提前了。我本来当然可以起身去通过门锁孔张望，假定它没有被封死，可是，通过这些孔，又能看到些什么呢？那您是靠卖淫生活的了？我说。我们是靠卖淫生活的，她回答说。您不能请他们不要弄出那么大的声响吗？我说，一副相信她刚刚跟我讲的话样子。我加上一句，或者另一种声响？他们得叫唤，她说。那我就不得不走了，我说。她在她家传的杂物堆中找到一些帘子，把它们挂在我们的门上，我的门还有她的门上。我问她有没有办法，时不时，吃一个芹菜萝卜。一个芹菜萝卜！她叫起来，仿佛我表达了品尝犹太婴儿的欲望。我让她注意到芹菜萝卜的季节就快结束了,而且,从现在到那时,要是她能够让我只吃芹菜萝卜的话,我会感激她的。只吃芹菜萝卜!她叫道。对我而言,芹菜萝卜有一种堇菜的味道。我喜欢芹菜萝卜是因为它们有一种堇菜的味道,也喜欢堇菜是因为它们有一种芹菜萝卜的香味。如果世上没有芹菜萝卜我也就不会喜欢堇菜,而如果堇菜不存在的话,对我来说芹菜萝卜和白萝卜,或者和红皮白萝卜也就没有什么不一样的了。而且如果在它们所属的植物区系的目前状态中(我指的是在这个世界上)芹菜萝卜和堇菜找到了合二为一共同存在的方式的话,我会很容易地、非常容易地省了它们,不管是前者还是后者。一天她大胆地跟我宣布她怀孕了,而且已经有四五个月了,是我干的。她侧过身子请我看她的肚子。她甚至脱了衣服,也许是为了向我证明她没有在裙子下面藏着个靠垫,但之后显然是纯粹为了满足脱衣的乐趣。也许只是肚子气胀而已,我说。想安慰安慰她。她那双大大的眼睛盯着我看,我不记得眼睛的颜色了,说她的一只大眼睛比较确切,因为另一只似乎在凝视着残余的风信子。她越是一丝不挂,就斜视得越厉害。您看,她说,一边弯下胸部,乳晕的颜色已经变深了。我积聚起最后的力量对她说,打掉,打掉,这样就不会再变深了。她打开窗帘,让自己的种种丰姿展露无遗。我看到山,它无动于衷,崖穴密布,神秘莫测,从早到晚我从那儿只听到风声、杓鹬鸟鸣叫声,还有开采花岗岩的工人的铁锤那遥远却清亮的微弱的敲打声。白天我会到热乎乎的欧石楠丛中去,到香喷喷的野生梁料木丛中去,而晚上我会看到城里远远的灯光。如果我愿意的话,还有其他灯光,灯塔和灯标船的灯光。小时候,我的父亲曾经跟我讲过它们叫什么,我会重新找出它们的名字的,在我的记忆里,如果我愿意的话,如果我知道的话。从那天起,在这所房子里,对我而言,凡事都变得糟糕,越来越糟糕了,这并不是因为她忽视我,她从来都没能对我表示过足够的忽视,而是因为她老是用我们的孩子来烦我,给我看她的肚子和乳房,还跟我说他随时都会出生,她感到他已经在跳了。如果他在跳,我说,他不是我的。我在这房子里过得不太坏,这是肯定的,当然还谈不上理想,但是我并不贬低它的好处。我拿不定主意是走还是不走,树叶已经在凋落了,我害怕冬天。不应该害怕冬天,它也有它的好处,它下雪保持了温度,而且它那灰白的白天结束得很快。可是在当时,我仍然不清楚土地对那些只拥有它的人能有多好,人们在生之年能够在它那里找到多少墓地。结束我的，正是诞生。我从中苏醒过来。孩子，他得遭什么样的罪啊。我相信有个女人跟她在一起，我好像时不时地听到厨房里有脚步声。没有人赶我，而离开一所房子，这让我心里难受。我跨过沙发椅背悄悄地溜走，我穿上上衣、外衣，戴上帽子，我什么都没落下，我绑紧鞋带，我打开通向走廊的门。一大堆破烂挡住了我的过道，但我还是过去了，或翻越，或突破，或撞击。我谈到过婚姻，这毕竟是某种结合。我不该感到尴尬了，那些号叫无人能及。这应该是她第一次生育。它们追着我一直到了街上。我在房门前停下，竖起耳朵。我一直都听得见。如果我不知道有人在房子里发出号叫的话，我也许听不见它们。可是知道它们存在了，我便听得清清楚楚。我不太清楚自己身处何处。我在星星和星座之间寻找大小熊星座，可我找不到。然而它们仍然在那里。是我父亲第一个指给我看它们的。他还给我指出了其他星座，可是没有他，独自一人，我只找得到大小熊星座。我开始和喊叫声游戏起来，有点像我曾经和歌声游戏的那样，我前进，我后退，我前进，我后退，如果人们可以把这叫作游戏的话。只要我走动，我就听不见它们了，这要归功于我的脚步声。可是一停下我又听见了，当然每次声音都更加微弱，可是一声喊叫是弱还是强又能怎么样呢？它应该做的，是停下来。许多年来，我一直认为它们马上要停下来了。现在我不再这样认为了。我应该有其他爱情。可是爱情，不是随叫随到的。

1945 年

障碍的画家

郭昌京　译

我要说的有关范费尔德兄弟的绘画的话都在最新一期的《艺术手册》中说过了（除非此后又出版过另外一期）。我对在那篇文章中所说的话没有任何要补充的。说得太少了，说得够多了，但我没有任何要补充的了。幸好，不是说还没有说过的话，而是尽可能经常地用最小的篇幅重说已经说过的话。否则，就要让收藏者们不安了。这是其一。而现代绘画本身也已经相当令人不安了，即便人们不想时而说它或许这样，时而说它或许那样，让它更加动荡不安。其二，我们没有必要自找不安。必要的不安已经相当令我们不安，不仅是因为现代绘画，不希望试着以一己之见说尚没有说的话而使自己更加不安。因为，屈从下流欲望，说出以己之见尚未说出的话就面临一个严重的危机：思考自己尚没有思考的，而人家知道的东西。不，重要的是，如果面对现代绘画和其他

149

论述的主题,我们不想增加自己的和别人的不安就要表明某种观点,不管前人有没有这个观点,并始终不渝。因为在表明某种观点并始终不渝的同时,不管发生什么,人们最终都可以对任何事情形成一种观点,可以保持终生的很坚定的一种观点。不容对经得住时日的这类观点掉以轻心,或许永远不会掉以轻心,哪怕是中世纪早期也没有。这似乎对涉及现代绘画的那些观点尤为适合,以通常的方法不可能只对现代绘画形成一种观点,哪怕是脆弱的。有一天,继而第二天、第三天,所有日子,坚定地表明现代绘画是这样的,仅仅是这样的,这样,十年、十二年后,人们将知道现代绘画是什么,甚至足以让朋友们受益,不必把最好的娱乐时间花在狭窄、拥挤、光线不足的所谓画廊里,费眼神去研究。也就是说人们将知道应该知道的一切习惯的表达形式,构成任何学科目的的一切。知道人们想说什么,这就是睿智。而知道人们想说什么的最好方法,就是耐心地每天说同样的事情,并让自己就此熟悉使用的表达形式,即便是在流沙中。直到对于表现主义、抽象艺术、构成主义、新造型主义以及它们的反义词的传统难题得出全面的、最终的,并可以说机械的、脱口而出的答案为止。由此产生的美的保障和惬意的感觉让自己更好地在现代派画家自己的社会中研究，他们将告诉您，只要我们向他们询问这个问题，甚至我们什么也没有问，现代绘画究竟是由什么构成的，它究竟不是由什么构成的，它究竟最好不是由什么构成的，白天、夜晚，随时都可以，画家们只需画出一个圆，或者一个三角的时间，就会消灭抵抗这个论据的任何东西。他们的本意上的绘画，实际上不应该与他们的对话混淆在一起，兴高采烈地带着可靠性和不可驳斥性的标识。以至画作和言论这两件事情，总是难以知道哪个是蛋，哪个是鸡。

我们此时得知，不仅是通过普通的鳄鱼的嘴，一只眼睛充满泪水，另一只盯着市场，而且通过最严肃的和最令人尊敬的鉴赏家的嘴，巴黎画派（确定的意义）完了，或者几乎完了，它的大师们死了或者奄奄一息，他的小大师们也同样，而追随者们陷入伟大的拒绝的废墟中。

这些应该表明，或者法国绘画最近的半个世纪的努力和努力的成果失去了重要性，问题解决了，道路关闭了，或者由于没有执行者，事业突然结束了。或者从这些努力的成果的意义上说没有任何事情可做了，或者剩下要做的事情做不了，因为没有人可以做。

我认为，范费尔德兄弟的绘画是巴黎学派

（参见格林尼治时间）仍然年轻，且是未来美好的一个保证。

一个保证，一个双重保证，因为同一件丧事，对象的丧事，对两人影响深远。

绘画史就是绘画与绘画的对象的关系史，这些关系务必要首先朝着广度发展，然后向深度发展。更新绘画首先是有越来越多的要画的事物，然后是有可以越来越自如支配的画这些事物的一种方法。我的意思并不是说第一阶段充分发展，紧接着的第二阶段完全集中，而只是说两种姿态相互关联，就像努力中的静止。绘画的第一冲动在意识到自己的界限的同时影响这些界限的极限，第二冲动从纵向影响事物掩藏着的事物。表现的对象总是抵抗表现，或者由于对象的偶然性，或者由于对象的实质，但首先是由于对象的偶然性，因为对偶然性的认识先于对实质的认识。

对被抓住的对象的第一次攻击，不考虑对象不以为然的性质，对象的懈怠，对象的潜在，这就是或许并不比其他定义更可笑的现代绘画的一个定义。这个定义有利于，丝毫不是价值的一个评价，排除超现实主义画家，仅仅关注编目问题的评价，既避开了他们伟大的同代人，也避开了锡耶纳画派的萨瑟塔①和吉奥瓦尼②，以及马萨乔③和卡斯塔诺④的在深度上的努力。吉奥瓦尼是一位吸引人的蒙昧主义者。定义也排除了这些值得尊重的提炼物体精华的炼金术士：蒙德里安、利希斯基、马列维奇、纳吉。可是定义表明了很不相同的独立派艺术家们所共有的东西，例如马蒂斯、伯纳尔、维庸、布拉克、鲁奥、康定斯基，仅以他们为例。鲁奥特的基督，马蒂斯的最中国味的静物，康定斯基1943年或者1944年的一幅混合体画作都源于同样的努力，表现一个小丑、一个苹果和一个红色方框在什么情况下只是一个东西的努力；源于同样的混乱，面对有待被表现的这个单一性展开的反抗。因为在这里它们只是一个东西，无论是一些东西，一个东西，还是一个微型化的东西。像康定斯基那样，谈论摆脱了对象的一种绘画似乎不合逻辑。绘画摆脱的是存在于一个被表现的对象之

---

① Sassetta（约1392—1450），意大利锡耶纳画派重要代表，继承了中世纪的传统。
② Giovanni（约1399—1482），意大利锡耶纳画派中风格独特的一位画家。
③ Massaccio（1401—1428），意大利文艺复兴时期早期最具革新精神的画家之一，佛罗伦萨派画家。
④ Castagno（1421—1457），意大利佛罗伦萨派画家。

外的幻象，或许甚至是这唯一的对象任凭表现的那个幻象。

如果这就是巴黎画派的最后状态，在长期不追求事物而追求微型化事物，不追求对象而追求对象存在的环境之后，我们或许有权谈论一场危机。因为，如果对象的本质是逃避表现，那么还剩下什么可表现的呢？

剩下来的是表现这种逃避的种种条件。它们根据主题采取下述两种形态之一。

一个人说：为了表现对象我不能看见对象，因为对象就是对象存在的形式。另一个人说：为了表现对象我不能看见对象，因为我就是我存在的形式。

这两类艺术家过去一直存在，这两类障碍，对象障碍和眼睛障碍。但是这些障碍，人们过去重视它们。有过适应。它们过去不是，或者几乎不是表现的组成部分。这里，它们成了其中的组成部分。我们可以说成了其中的大部分。妨碍画画的东西被画出来了。

赫尔·范费尔德是第一类画家（以我摇摆不定的判断），布拉姆·范费尔德属于第二类画家。

他们的绘画是对一种被剥去了的状态的分析。在一位身上这种分析取材外部的术语：光亮和虚空；在另一位身上取材内部的术语：昏暗、满盈、荧光。

在一位那里是通过放弃重量、密度、固体性得到解决，通过扯破任何扰乱空间、留住光亮的东西，通过在外部的环境下吞噬外部。在另一位那里，是在不可动摇的团块中的一个团块，被分开、监禁、总是回到自身的存在，没有痕迹，没有空气，独眼巨人一般，光芒短暂，带着黑色光谱变幻的色彩。

无止境地揭开，面纱接着面纱，完美的透明的平面之上又是平面，朝向无揭开的一种揭开，虚无，更新的事物。葬入唯一之中，葬入难以进入的紧邻的一个地方，画在隐士斗室的石头上的隐士斗室，钳闭的艺术。

这就是当我们任凭被戏弄撰写与绘画有关的文章时必须预料到的东西。除非是一篇艺术批评。

范费尔德兄弟的绘画脱颖而出，摆脱了批评的所有关注，属于一种批评的和拒绝的绘画，拒绝把古老的主题—对象的关系作为前提。显然，任何艺术作品都是这种关系的一次重新调整。但没有一种批评处在最优秀的现代绘画所处的位置，从最后的表现看，批评非常像人们在用棍子责罚死驴时缓慢发出的批评。

自此，绘画还剩下三条路可走。返回古老的稚拙之路，穿过荒芜的冬天，后悔之路。第二条路不是一条路，而是生活在已经获取的土地上的最后一次尝试。最后是一种绘画的向前的路，这种绘画既不太关心一个失效契约，也不太关心多余的寻觅的呆板性和典雅，接受的绘画，在关系的缺席中，在对象的缺席中隐约看见新的关系和新的对象，在布拉姆·范费尔德和赫尔·范费尔德的努力中已经分岔的路。

《障碍的画家》首次发表于《镜后》(*Derrière le Miroir*)，第11—12期，1948年6月。

画 面

曾晓阳 译

舌头上满是泥泞唯一的去除办法就是把舌头缩回嘴里转动它泥泞要么吞下它要么吐掉它问题在于知道它是否有营养镜头拉远但并不因此而缚手缚脚由于经常喝酒我喝了一口这是我的一种本领含在口中足足一段时间问题在于知道如果咽下它它是否能够给我提供营养镜头拉远并且展开这时候正好耗费我的精力全部问题都在这舌头重新伸出粉红色的裹在泥泞里与此同时双手在干什么必须时刻注意双手在干什么好吧左手我们看到它了一直拿着袋子那右手呢右手过了一段时间我看见它在那边在那条沿锁骨方向尽力伸长的手臂末端如果可以这么说或不如说可以这么做的话锁骨在泥泞中伸展又合拢伸展又合拢是我的另一种本领这个小动作对我有帮助我不知道为什么我就有一些小手段很能应急甚至贴着墙走顶着变幻莫测的天我应该是个机灵的人她应该已经不太远了刚刚一米但

我觉得她远早晚有一天她会走的独自一人撒开脚丫就走就离开我我看见她撒开脚丫往前走像四爪猫一样趾尖深陷入地然后抬起她就这样微微地时而弓起身子时而伸直身子渐渐远去我也喜欢像这样一点一点地走掉腿呢腿在干什么哦腿啊还有眼睛眼睛在干什么肯定是闭着的哎不对因为突然间在泥泞下面我看到了自己我说自己就好像我说我就好像我会说他一样因为我觉得这样好玩我给自己定在十六岁左右为了让幸福感更强烈天气应该十分怡人蛋青色的天夹杂着小朵小朵的云我转过背那个女孩也一样我的手搭在她的屁股上这个部位有待我去评价评价根据点缀在碧绿的草丛中的花儿来看我们是在四月要么就是在五月我很高兴自己忘了从哪儿知道花儿和季节这一桩桩的故事我知道这些事句号一切都有待评价穿过一些无关紧要的东西包括一道白栅栏还有一个红的十分漂亮的廊台我们来到一个赛马场头朝后仰我想我们直视前方像雕像一样一动不动除了一双胳膊外末端的一双手交缠在一起晃来晃去我空着的那只手也就是左手握着一个不知名的物品于是她的右手里握着一条短绳的绳头另牵着条猎犬烟灰色的皮个头挺大歪坐着低着头一动不动这双手和相应的胳膊也一动不动问题在于知道为什么一条绳子在这一大片绿地上慢慢地出现一些灰的白

的斑点我很快就在一群母羊中点出一只只小羊羔的名字我不知道我从哪儿得知这些关于动物的故事我知道这些事句号在事事顺心的日子里我能说出四五只品种完全不同的狗的名字我看到它们我们千万别去试图弄清楚在远景处在四五千米处矮小但绵延不绝的山脉蓝蒙蒙的群峰我们的头同时一弹而起或者说同步起动也行高出山背线好像希腊字母 M 我们松开手转过身子我顺时针方向她逆时针方向她把绳子转到左手而我在同一时刻把那个物品转到右手现在一个砖头形状的微微发白的小包也许是三明治大概是为了能重新把我们的手合为一体我们正在做的事双臂摇晃狗没有动我有种荒唐的感觉我们在看我我缩回舌头闭上嘴微笑起来从正面看那女孩没那么丑让我感兴趣的不是她我脸色苍白头发像刷子胖胖的脸红润还长着些痘痘肚子鼓起裤裆敞开细长的腿外八字分开为了站得更稳膝盖弯曲双脚张开至少一百三十五度角半带微笑信心十足象征着生命的屁股水平抬起绿 T 恤黄靴子靴扣眼上别着杜鹃饰或类似的东西重新朝内转过身子也就是一下子就能让我们不是屁股对着屁股而是面对着面转换九十度角后双手再次牵在一起双臂晃悠狗一动不动我的屁股三二一左右我们就出发了鼻子朝天手臂晃悠狗跟着低着头夹着尾巴这跟我们一点关系都没有

它只是在同一时刻起了同样的念头而已至少就像马勒伯朗士的偶因论那样玫瑰花我读过的信要是它撒尿它会一边走一边撒的我想喊把她丢在那里跑吧割脉自杀一步步地走了三个小时我们就到了山顶狗歪坐在矮灌木丛中低下鼻子去嗅它那黑中带着粉红色的阴茎但没有力气去舔它我们相反朝内转过身子换了个位双手再次牵在一起双臂晃悠静静地欣赏着大海和岛屿两个头像一个似的一起转向城中升起的烟雾静静地辨认那些建筑物两个头又转回来好像用一个轴子连在一起似的雾气转瞬即逝又是我们在吃三明治你一口我一口各吃各的一边说些甜蜜的话亲爱的我咬她咽亲爱的她咬我咽我们还不能说是在喁喁私语嘴巴塞得满满的我的心肝我咬她咽我的宝贝她咬我咽雾气转瞬即逝又是我们正在离去重新穿过田野手牵着手双臂晃悠昂起头望向越来越小的山峰我看不到狗了我看不到我们了舞台上空无一物几头牲口是绵羊像花岗岩一样显露出来一匹马我以前没有看到它一动不动地站着弯着脊梁低着头这些畜生懂得蓝天白云四月的早上在泥泞中完了结束了光线暗下来了舞台还是空的几只牲口接着暗下来看不到蓝天了我待在那里在那边右边在泥泞中手张开又合上这有用让她走我发觉我还在微笑早已用不着这样了用不着这样了舌头又伸出来伸进泥泞

中我就这样待着不渴了舌头缩回去嘴巴合上她应该走着一条直线现在结束了我做完了这个画面。

20 世纪 50 年代

远方一只鸟

郭昌京 译

废墟覆盖的大地，他整夜行走，我嘛，我放弃了，擦过篱笆，在路与沟之间，在稀疏的草地上，缓慢的小步，整个无声的夜，经常停住脚，每十步左右，有戒备的小步，歇口气，然后听，废墟覆盖的大地，出生之前我放弃了，没有其他可能，但这一定要出生，这是他，我在里面，他站住了，这是这天晚上的第一百次，大约一百次，这给出了他走过的距离，这是最后一次，他俯在他的拐杖上，我在里面，是他喊叫了，他出生了，我嘛，我没有喊叫过，我没有出生过，两只手一只在上一只在下按在拐杖上，额头抵在手上，他歇口气，他现在可以听，脑袋平伸，腿叉开，膝盖弯曲，甚至老外套，硬硬的燕尾在后边翘起，破晓，他只能抬起眼睛，只能睁开它们，抬起它们，他和篱笆混在一起，远方的一只鸟，捕鸟的时节它跑了，是他曾生活过，我嘛，我没有生活过，生活过得不好，因为我，我不可能有良心可是我有良心，另一个人隐约看见我，隐约看见我们，他就在那儿，他终于到了那儿，我想象他，到了那儿隐约看见我们，两只手和头成了一小堆，时间过去了，他一动不动，他给我寻找一种嗓音，我不可能有嗓音而我没有，他将给我找来一种嗓音，嗓音对我将不合适，它将干事，干它的事，不再和他有任何关系，这个影像，手和头的一小堆，脑袋平伸，一边一个胳膊肘，闭着眼睛面容呆滞地听，人们看不见的眼睛和人们看不到的整个脸，时间在脸上没有改变任何东西，这幅影像和一无所有，覆盖着废墟的大地，夜退去了，他已经走了，我在里面，他将自杀，因为我，我将体验这个，我将体验他的死亡，他的生命的终结然后他的死亡，渐渐地，目前，他将如何着手，我不可能知道，我将渐渐知道，是他将死去，我嘛，我不死，他将只剩下骨骸，我将在里面，他将只剩下沙土，我将在里面，没有其他可能，覆盖着废墟的大地，他穿过了篱笆，他不再停下，他将不再说我，因为我，他将不同任何人说话，任何人将不同他说话，他将不再自言自语，他的脑袋里将空空如也，我把需要的东西装进去，为了摆脱，为了不再说我，为了不再张嘴，杂乱的回忆和遗憾，被爱者们的不安和不可能的青春，弯着腰握着拐杖的中部他踉跄地穿过田野，属于我的一种生活，我已经尝试过，这失败了，毕竟仅仅是我自己的，坏生活，因为我，他说这将不只是一个，是的，这还有一个，同样的，我仍然在里面，同样的我，我把各种脸孔放进他的脑袋里，名字、地点，我把这一切搅拌到一起，一些结束的东西，逃去的影子，最后的一些影子，要逃跑的和要追逐的，他将把他的母亲同妓女混在一起，把他的父亲和一个名叫巴尔夫的养路工混在一起，我将给他粘上一只老病狗为了让他再次爱，再次失去，覆盖着废墟的大地，慌恐的小步①

20 世纪 60 年代

---

① 作者在本文中只使用逗号，结尾也没有句号。译文照此处理。

往　来

郭昌京　译

封闭的场所。所有为了说而必须知道的东西都知道了。只有被说的人。除了被说的人之外什么也没有。这事发生在没有说定的竞技场里。如果必须知道它的话人们就知道它了。这不相关。不要臆想它。磨损了大地的光阴不情愿地磨损了这里。场所由一个竞技场和一条壕沟构成。在两者之间沿着壕沟有一条跑道。封闭的场所。壕沟之外什么也没有。我们知道它是因为我们必须说它。宽敞的竞技场漆黑一片。几百万身体可以聚集在这里。散逛或者待着不动。从不往来和相互理解。从不相互接触。这些就是我们所知道的全部。壕沟的深度。从边缘看到所有的身体都排列在背景上。还有几百万身体在那里。他们看起来是正常情况的六分之一。背景被分了区。几个黑暗区和几个明亮区。它们占据了整个长端。处在明亮处的区是一些正方形小方块。勉强能容纳中等身材的身体。斜着躺下。如果再大一些就必须是蜷缩起来了。我们由此知道了壕沟的宽度。没有这个我们也知道宽度。黑暗区做了合计。一些明亮区。黑暗区远远占了上风。场所已经老了。壕沟是老的。壕沟最开始处只是强光。光亮区。几乎接在一起。将镶上阴影的边。壕沟似乎是笔直的线。然后已经见过的身体重新出现。这是一个封闭的曲线。光亮区的非常耀眼的强光。强光在黑区并不泯灭。这些黑区是一块不可损坏的黑色。边缘和中心的浓度相同。相反这强光表现得很直接。高于竞技场的地平。也高于壕沟的深度。在黑色的地方耸立着一些微光塔。有多少光亮区就有多少塔。背景上有同样多的可见的身体。沿着壕沟的跑道同壕沟一样长。沿着壕沟的整个周长。跑道高于竞技场。一次散步有效。由枯树叶铺成。令人想起美丽的大自然。树叶是干枯的。空气干燥热和。干枯并不腐烂。它们落下更像是尘土。跑道对一个身体来说足够宽了。从没有两个身体从这里擦肩而过。[①]

20 世纪 60 年代

[①] 作者在本文中只使用了句号。译文照此处理。

够　了

曾晓阳　译

忘记以前所有的事。我不能同时做很多事。这样笔才有时间做记录。我看不见笔但我听到它就在那边在后面。也就是说沉寂。笔停下的时候我仍在继续。有时笔拒绝写。当它拒绝的时候我仍在继续。我无法忍受太深的沉寂。我过于低微的声音就会时不时地响起。那是从我体内发出的声音。这就是我的手段和方式。

我做过他所希望的一切事。我也想做这些事。为了他。每次他想要一个东西我也想要。为了他。他只要动动嘴说一声就行了。当他什么也不想要的时候我也什么也不想。我已经到了没有想望就活不了的地步。如果他想给我一件东西我也会想要这件东西。比如幸福。或者荣誉。我的愿望全是他所表达的愿望。可他得把他的愿望全都表达出来。他所有的愿望和需求。当他默不作声的时候他可能跟我是一样的。当他叫我舔他的阳具，我就趴上去舔。我从中得到满足。我们应该有着同样的满足感。同样的需求和同样的满足。

一天他叫我丢下他。他使用了丢下这个词。他应该坚持不了多长时间。不知道他这样说是想让我离开他呢还是只想让我暂时远离一阵子。我没有去想过这个问题。我一向只想他自己的问题。无论如何我头也不回地溜了。听不到他的声音我也就离开了他的生活圈子。也许这就是他所希望的。人们看到一些问题但没有把它们提出来。他应该坚持不了多长时间。可我能坚持很长时间。我和他是完全不同时代的人。这种关系没有维持下去。我走入黑暗之中我的头颅里似乎闪过几道微光。大地是薄情寡义的不过也并非完全如此。如果我为这个世上带来了三四条生命的话我本来是可以做出些什么的。

当他拉起我的手的时候我应该有六岁左右。我刚刚结束童年时期。但我并不急于完全走出童年。他拉的是左手。他站在右边会感到很难受。我们于是手牵着手一起前行。我们只需一双手套就够了。空着的手或者说两边的手赤着垂在身边。他不喜欢自己的肌肤碰到别人的肌肤的感觉。不过分泌的黏液则是另一回事。但他有时也脱下手套。于是我也得做同样的动作。我们就这样手指赤着互相碰触走上一百米左右。很少走得更远。他就满足了。要是有人问我我会说少一只手就没法体味到两人之间的亲密。我的手从未在他的手里找到自己的位置。有时我们的手松开了。抓握的力度减弱它们便各自落下。通常要过漫长的几分钟后它们才会重新抓在一起。他的手才会重新抓起我的手。

我们的手套是很贴手的绒手套。它们一点也不遮掩手形反而线条简洁地显露手形。几年来我的那只当然太宽松了。不过我很快就把它填满了。他觉得我的手是宝瓶座的手。宝瓶座是天上的宫殿。

我的一切都来自他。我不会在每次得到这种或那种知识的时候都重复这句话。我有综合的能力不是我的错。那只能是天降倒霉。至于其他的事我认为自己没有错。

我们的相遇。尽管他背驼得厉害但还是给我一种巨人的印象。后来他把身躯放平。为了让这种古怪的姿势保持平衡,他分开双腿屈起膝盖。他那双越来越平的脚外八字展开。他的视野局限在他所行走的那块土地上。那块很小的土地上满是赛马和被踩烂的花。他向我伸出手,样子活像一只疲惫的巨猿把手肘尽力抬起。我只要直起身子就可以高过他三个半头。一天他停下来字斟句酌地跟我解释人体就是一切。

起初他总是边走边说。我觉得是这样。后来有时候走有时候停。最后就总是停下来说话。而且声音总是越来越低。为了避免让他连续两次说同一件事我必须深深地弯下腰去。他停下来等我摆好姿势。他一从眼角瞥见我的头靠在他的头旁边就开始低语。他的话十次有九次与我无关。但是他希望所有的东西都被听见,包括祈祷词以及他抛在鲜花盛开的土地上的念珠碎片的声音。

所以他停下来等着我的头伸过去随后告诉我丢下他。我迅速抽出我的手头也不回地溜了。两步后他永远失去了我。我们分开了如果这正是他所希望的话。

他很少谈论大地测量学。但是我们肯定好

几次走完了相当于地球赤道的路程。以平均每个昼夜大约五公里来计算。我们沉湎于算术之中。我们俩这样弯着身子共同进行过多少心算啊！我们还将一些三进位整数进行三次乘方。有时还顶着暴雨。那些立方数字积累起来逐渐在他的记忆中留下多少有些深刻的印象。将来还可以进行反方向的运算。在时间把一切都毁掉的时候。

如果有人很得体地问我的话我会说是的这的确就是这场漫步即我的一生的结束。也就是说最后的大约一万一千公里的路程。从他第一次跟我提起他衰弱那天算起，他说他认为他已经弱得不能再弱了。后来证明他说得没错。至少我们一起度过的那段时光可以做证。

我看见花儿踩在我的脚下可是我看见的是其他的花儿。是我有节奏地践踏过的那些花儿。不过那都是些同样的花儿。

跟我长期喜欢想象的相反他眼睛不瞎。只是懒惰而已。一天他停下来字斟句酌地跟我描绘他的视力。他总结说在他看来他的视力不会再下降了。我不知道他要到什么程度才不抱幻想。我没有去想这个问题。当我弯下腰去听他的话时我隐约瞥见一只似乎感受到粉红的光线和蓝色的眼睛正朝我斜过来。

他有时停下来但什么也不说。也许他根本没什么要说。也许他本来要说些什么但最后放弃了。我总是习惯性地弯下腰免得他重复,我们就这样待着。弯着身子互相碰着。一言不发手牵着手。与此同时时间在我们的周围一分一分地累加着。他的脚早晚会从花儿上抬起于是我们重新出发。即便几步后我们又重新停下来,以便他终于说出他心里想的东西或者再一次放弃不说。

其他一些主要情况也在我脑海中浮现。即时的连续讲话接着即时重新出发。同样的事情接着推迟的重新出发。推迟的连续讲话接着即时重新出发。同样的事情接着推迟重新出发。即时的继续讲话接着即时重新出发。同样的事情接着推迟重新出发。推迟的继续讲话接着即时重新出发。同样的事情接着推迟重新出发。

因此我要么这样生活要么永远不这样生活。十年听着低语。自那天他用左手手背长时间地抚摩着他衰老的骶骨,并做出预测之日起。直到我估计自己失宠之日。我又看到那个离山峰一步之遥的地方。往前直行两步我就已经从山的另一面跑下来了。要是我转过身去我就不会看到这面山坡了。

他喜欢爬山因此我也喜欢。他要求爬最陡的山坡。他的身体分解成两个相同长度的部分。这全靠膝盖弯曲使下半身变短了。一条五十度角的斜坡就让他的头擦着地了。我不知道他的这个爱好从何而来。是因为爱土地爱百花的千种芬芳和色彩。还是仅仅出于人体的需要。他从来没提过这个问题。到达顶峰了唉又得再下去。

他用一面小圆镜时不时地去欣赏天空。镜面因为他呼出的气而朦胧又不时地碰上他的小腿肚他在镜子里寻找着星座。我看到了！他喊道同时口中念道天琴座或天鹅座。他时常还添上一句说天上什么也没有。

不过我们没有去到山里。我不时隐约看到天边出现一片海。海平面似乎比地平面要高。那也许是一个大湖的湖底。湖水是已经从下面全都漏走了呢还是蒸发掉了呢？我没有去想过这个问题。

我所有的知识都是他给的。我只是用自己的方式把它们综合起来罢了。要是我这样给这个世上带来了三四条生命的话我本来是可以留下点痕迹的。

尽管如此那些高达一百米左右的像糖块一样的圆锥形山峰还是经常突然显现在眼前。我总是不情愿地抬起双眼看到最近的天边。有时我们刚下山但并不就此离去反而又攀登起来。

我现在谈论的是我们在一起的最后的十年时光正好发生在我讲过的两件事之间。这十年涵盖了以前的时光他应该觉得所有的时光都如同姐妹一般相似。应该把我的教育归咎于这几年的大肆挥霍时光。因为在我有印象的那些年中我不记得自己感到过任何东西。这样一推理当我面对自己的学问而执笔不动时我心安理得。

我把自己失宠的地点定在邻近山峰的地方。然而事实上,那却是在一处平地在很冷静的情况下发生的。要是我转过身我本来可以看到我把他甩下的那个地方。我找不到任何让我明白自己的错误的东西如果我真的做过错事的话。在后来的几年我并不排除重新见到他的可能性。在我曾经丢下他的地方或者其他地方。或者听到他召唤我。我同时对自己说他坚持不了多长时间的。但是我并不抱太大的希望。因为我几乎不把眼睛从花儿上抬起。而他也失了声。我似乎觉得这还不够,要不断地对自己重复说他坚持不了多长时间的。于是我很快完全不抱希望了。

我不记得天气怎么样了。但在我的生命中天气永远是温暖的。仿佛沉睡在春分时刻。我指的是我们这个半球。转瞬而逝的倾盆大雨总是突如其来地直落在我的头上。而天色并没有明显地阴暗下来。要是他没有提到的话我就注意不到没有风了。风不再有了。暴雨已经让风直立起来。应该说没有什么可以让风刮过的。花儿们全都没有茎干像睡莲一样紧紧地贴在地面上。它们是无法像别在衣服翻领上的花那样引人注目的。

我们不计算日子。我是靠我们的计步器知道我十岁了。总路程除以每天的平均路程。得出天数。再除。得到的数字是他触摸骶骨前一天的日期。另一个数字是我失宠前一天的日期。每日平均路程总是当日即刻记下的。先减。再除。

黑夜。在这个无尽头的春分时刻像白天一样长。夜幕降临而我们继续前行。天还未亮我们又出发了。

休息的姿势。我们的身子折成三折互相接合。第二个直角在膝盖处。我在里面。当他有所表示的时候我们就像一个人一样换一侧身子。我感到他整晚整个身子都弯着靠着我。与其说是睡觉不如说是躺倒。因为我们在半睡半醒中继续前行。他上面那只手拉着我触摸他想触摸的地方。直到某个部位。另一只手抓着我的头发。他低声说着些对他而言已经不复存在对我而言不可能存在的东西。风吹起悬在空中的茎干。森林的阴影。

他的话不多。平均每个昼夜一百个词。分期说。总共不超过一百万个词。很多重复的话。还有射精。所有的主题都是一言带过。我对人的命运知道些什么呢？我没有去想这个问题。我对萝卜的了解更多。他喜欢过萝卜。如果我看见一种萝卜我能毫不迟疑地说出它的名字。

我们靠花儿过活。那就是我们维持体力的

食物。他停下不用弯腰就抓起一把花。接着边嚼边走。花儿们大体上起着一种镇静的作用。我们大体上都很镇静。而且越来越如此。凡事都如此。镇静的概念我也是从他那儿学到的。没有他我就不会有这种概念。现在我走了,把一切都抹去除了花儿。没有雨了。没有圆山顶了。只有我们俩闲荡在花海中。我衰老的乳房受够了他衰老的手。

1966 年

为了再次摆脱
以及其他败笔

郭昌京 译

为了再次摆脱单独的脑袋①在黑暗封闭的场所额头顶着一块木板作为开始。长时间如此作为开始时间和很快成为木板的延续的地点变得模糊。脑袋就这样为了摆脱单独处在黑暗空荡无脖子无面孔只有盒子②最终的场所。尸骸的场所过去在黑暗中一具尸骸隔很久闪烁。剩下的日子永无光亮像苍白的光线一样无力。脑袋最终的场所没有消沉反而就这样重新开始为了再次摆脱再次努力。铅灰色的一个白日最终在这里突然或者渐渐出现并保持着魔力。总是一种不太黑的黑色几乎可以说是最深的灰色或者突然像是在转换器上无垠的灰色沙漠在同样是灰色的无云的天空下。脑袋最终的场所里里外外空荡黑暗直到突然或者渐渐地这铅灰色的

---

① crâne：此词做名词有头颅、好汉、新押来的光头囚犯等诸多含义，做形容词有结实、健壮之意。
② boîte：此词也有场所的含义。

白日刚刚泛白最终凝固。灰天无云灰沙无垠长久荒芜作为开始。细沙如尘啊，但昔日星星点点的尘土其实很深，吞没了最令人骄傲的纪念碑。在即使与众不同的眼睛也看不出来的灰色中倔强的被驱逐者站在废墟中。整个小小身体从头到脚踝陷入沙子里的脚同样的灰色，只有眼睛依然明亮。臂膀总是同躯干连为一体而两条腿这一条和另一条一起是为逃跑而生。无云的灰色天空无波纹的尘土之海虚假得无边无涯像地狱般没有一丝生气。混着尘土大部分仅仅露出地表的避难所的残存物将陷入流沙。最初的变化最终的一个残片解体并且塌落。如此质密的东西缓缓落下似落到水面上的瓶塞几乎未留凹痕。就这样为了摆脱脑袋最终的场所没有消沉仍在做着事情。无云的灰色天空无尽的远方无时的空间无论对上帝还是对敌人。仍是那儿出乎意外无尽的远方冒出两个白色侏儒与灰色形成对照。一开始并在很长时间虽从远处捕捉不到的白色在灰色的空间里他们哼呦哼呦一步一步在灰色尘土中行走由一个白色担架连在一起担架在灰色的天空中从高处也看得见。担架慢慢地划破尘土因为弯着腰胳膊比腿长因为脚陷进去。尽管是两个孤独白得如同一个他们相似以至眼睛把他们混在一起。他们面对面地向前行走且经常相互掉换结果他们轮流地开始后退着行走。殿后的那个人重新成为知道照看方向的人有点像是通过细微调整当舵手驾驶小艇。只要他斜着向北方或者任何其他的方位走另一个立即转向对应的方位。只要一个站住绕轴旋转另一个必须让担架旋转两百百分度这样位置就对调了。从高处从担架的前后柄处从侏儒处直至巨大脑袋的制高点看到布单的尸骨白色。隔很久移动就像是一个人他们放下担架为了随后重新抬起无须弯腰。依据可笑的记忆这是个担架柄比床长三倍之多的运粪的担架。布单随着位置对调一会儿被颠到前边一会儿被颠到后边一只耳朵标示头的位置。胳膊尽端四只手张开就像一只手如此靠近尘土的担架以至放下也没有任何声音。细小的大腿和躯干不成比例的臂膀细小的脸庞也包括这些脑袋都非常不成比例。最后像一只脚般的几只脚分开了左脚前右脚后就这样重新开始齐步走。无垠的灰色尘土在无云的灰色天空下在那儿突然或者渐渐在只可能有尘土的地方出现这个可以辨认的白色。剩下的要想象是否他可以看到废墟中的最后的被驱逐者这个白色是否他从来没有看到白色或者是否他认为看到了白色。在被驱逐者和白色之间俯瞰空间不会减小只会出现横亘着的最终的沙漠。最终的小小身体僵直的状态和从前一样处在寂静的废墟中大理石般僵化。最初的变化最终的一个残片摆脱了纯粹的废墟缓缓的一次坠落给尘土砸出难以辨认的凹陷。因为已经吞噬太多东西尘土不再吞噬对尚露在地表的那区一点东西来说是活该。或者只是消化期间的懒散无力就像从前的蟒蛇结束了最后的一大口吞咽最终清除一切障碍。侏儒远方的白色不知来自何方在只可能有尘土的空间中一动不动。远古的搬运几个孤独就像一个他们前进后退在这儿在那儿站住再起步。面对前进方向的人有时站住并尽他所能重新抬起头探索空荡并且他知道纠正方向。然后新的起步非常平稳以至眼睛只能事后碰巧看见他低着头闭着眼睛。长时间朝着各个水平面抬起眼睛白白地穷追他只得到越来越近的两个呆滞无神的小椭圆形。从突起的前额耸立起来的库克罗普斯①的穹隆的顶点朝向灰色天空的白色炸弹可居住的或者家园之爱的肿块。最后的变化最终后背朝天被驱逐者倒下在废墟中伸直不动。双脚圆心身体半径一个象限的空间从一个整体上脱落就像越来越快倒下的雕像。非常精明眼睛可以把自此混进混在尘土中的废墟里的他一个象限的空间在被秃鹫遗弃的天空下分辨出来。尽管难以听到呼吸并没有离他而去并造成微微颤动掀

---

① 希腊神话中的独眼巨人。

起看不见的尘土。眼睛天青色的窟窿与躺下的布娃娃相反没有闭上也还没有落上尘土。无须再考虑从来就没有相信过他面对尘土和天空混在一起的远方的这白色。既不在地上也不在天上几个侏儒的白色如同到了痛苦的尽头放下的担架横陈在大理石般白色身体上。废墟寂静和大理石般僵硬小身体精疲力竭做立正的姿势深处为淡蓝色眼眶大张。如同浅灰色的时间流逝胳膊同躯体连为一体而两条腿这一条和另一条一起为逃跑而生。整体直挺挺向前倒下就像被朋友的手或者风从后背推了一把但是空气一动不动或者来自生命的一个渣滓在状态良好期间倒下没有恐惧地倒下你不再可能自己站起来。坟墓的脑袋将这样永远凝结担架和侏儒废墟和小身体无云的天空尘土已经远得不能再远就像地狱。穿越一块空间的无此无彼的行程的梦那里大地的所有步伐永远不接近也不远离任何东西。不是因为渐渐地或者像是在转换器上为了再次摆脱在此重新形成的黑色只可能是某些灰烬。通过它谁知道一个结束仍然在同样黑的没有云的天空下一个了解它大地和天空是否向来就有一个黑色如果它绝对需要这样。

1975 年

他光头,赤脚,穿一件紧身衣,一条过短的紧身裤,他的双手已经告诉他,反复告诉他,而他的脚相互试探,贴着腿顺着小腿肚子和胫骨相互摩擦。他的任何回忆都与这种隐约有些监狱味道的衣着不吻合,但是在这方面,所有回忆都是沉重、丰富和难忘的。他操劳的大脑袋①只是一个嘲笑,他走了,他将回来。有一天他将感到,整个身体的前面,从前胸到脚下,加上双臂,最后还有双手,长时间地,手心和手背,最先在臂端处绷紧,然后紧邻的部位在注视下颤抖。他站住了,从意识到开始走直到此时这是第一次,一只脚在前一只脚在后,高处的那只全脚着地,低处的那只脚尖着

---

① 此处有伟大开端的意思。

地，并等待决定。然后他重新出发。他不是摸索着前进，尽管很黑，没有伸出胳膊，没有叉开手指，落脚前不犹豫。因此他经常碰撞，也就是说在每个拐弯撞到夹着路的洞壁上，向左转时撞在右边的洞壁上，向右转时撞在左边的洞壁上，有时是脚，有时是头顶，因为是上坡他弯着腰，另外因为他一直弯着腰，头在前，眼睛朝下。他流血了，但是量不大，这些小伤口在重新破了之前有时间愈合，血流得很慢。通过两壁几乎贴在一起的地方，就是他的双肩被卡住的时候。但是他不但没有停下来，甚至折回去，没有自言自语，散步到此结束，现在一定要回到另一个终点站并重新开始，他不但没有这样反而在狭窄处收紧身体，就这样慢慢地，不顾胸脯和后背被划伤最终挤了过去。他的必须适应黑暗的眼睛穿透黑暗了吗？没有，这正是他越来越多、越来越经常、越来越长时间地闭上眼睛的原因之一。因为他越来越注意减少任何不必要的疲劳，例如朝前方和周围，一个小时一个小时，一天一天，永远什么也看不到地看的这种疲劳。这会儿还不是谈论他的错误的时候，但是他没有努力坚持看破黑暗或许是个错误。因为他本来可以最终做到，在某种意义上说，一束光亮本来会比较快活，这立即就会比较快活。一切都可以随时地被照亮，最初是缓慢的，然后，怎么说呢，渐渐地直至一切都沐浴在光明中，道路、地面、洞壁、穹顶、他自己，整个这些在他的不知不觉中都沐浴在光明中。月亮将会镶嵌在远方，天空的一角星光闪烁，或者大概还阳光普照，在他没有能够为此高兴，或者加快步伐，或者相反，当还有时间向后转，掉头之前。总之，目前还过得去，这是最重要的。特别是双腿，似乎状态很好，这是重要的，莫菲从前腿脚很棒。脑袋多少还有点发木，那个部位缓过来需要时间。发木，脑袋可以继续这样，脑袋甚至可以更木，这没有什么严重后果。无论如何，没有什么愚蠢的念头，此时这很重要。知识少了，但是很镇定。心脏？不错。它恢复了。其他的？不错。很合乎要求。可是，在向右转之后，例如，本该在不远处向左转的地方他又一次转向右边。随后又是不远处，本该向左转的地方他再次转向右边。就这样继续下去，直到他应该，照他预想的，再一次右转的地方他转向了左边。在一段时间里，他的这些左转右转复归正确，相继带他向右，向左，也就是说带着他直着朝前走，或者说差不多这样，但是，依据的却不是出发时的，或者确切说不是他突然意识到自己出发了的那个时刻的那条路线，或者总之一直就是那条路线。因为尽管有很长一段时间右边把他带向左边,但也有左边把他带向右边的时候。无论如何,既然他一直在爬坡就没什么关系。可是这不久之后就开始下坡了,这个坡非常陡峭以至他必须身体后仰才不至跌倒。相对于他的出发地,更确切说相对于他突然意识到自己出发了的那个点,生活在哪里等着他,在高处还是在低处?或者这些长而缓的上坡和短而陡的下坡将以相互抵消而告终?无论如何这无所谓,既然他走在正确的路上,而且他是在正确的路上,因为他没有其他的路,除非他一条接着一条地走过去而没有意识到。洞壁和地面,即使不是石头,触起来也同石头一样坚硬,很潮湿。有些日子,他停下来舔这些洞壁。野兽,如果有,也是无声无息的。除了前进的身体的声音外,唯有坠落的声音。这是一大滴水,最终从高处坠落并摔得粉碎;一块坚硬的块状物突然离开它的位置迅速下落;一些较轻的物质慢慢崩塌。于是听到回声,最初同引起它的声音同样大,并且有时反复达到二十次,每次减弱一些,不是,在停下之前有几次比前次声音更大。然后,重归寂静,只有微弱的,多种因素引起的身体前行的声音打破这样的寂静。但是,这些坠落声不常出现,大部分时间是一片寂静,只有身体前行的声音打破这样的寂静,潮湿的地面上的赤脚声,有些沉重的呼吸声，碰撞到洞壁的声音，穿过狭窄的口子时的声音，衣服、紧身衣和裤子，与身体的运动合拍的和相反的，重新贴在皮肤上之后又从黏糊糊的皮肤上分离的声音，衣服撕破的声音和突然出现又立即消失的扰流吹动衣服褴褛处的声音，最后还有手不时地与可以毫不困难地触到的身体所有部位来回擦过的声音。他还没有倒下。空气非常不好。有时他站住，靠着一边的洞壁，脚抵着另一边的洞壁。他已经有了一些回忆，从他突然意识到他在那儿，在仍然伴随着他的这条路起步那天起，直到此时他停住，靠着洞壁，他已经有了小小的冒险经历，几乎有了一些习惯。但是，整个这些还是临时的。且经常出现在走着的时候和休息的时候，但是主要是在走着的时候，因为他几乎就不休息，而且也根本没有故事，就像在这同一条路上的第一天，留下重要回忆的这些日子的第一天。但是现在，最初的惊奇过去了，回忆又出现在他的脑子里，并且把他带回遥远的过去，随他怎么说，一直带回到再往前就一无所有的那个时刻，而他那时已经老了，就是说临近死亡，并且不回忆曾经经历过的时光也知道，除了其他一些重大的事情外，老和死亡是什么。但是整个这些还是临时的，通常他开始，老了，涉足阴郁的曲折思路，并且好长时间才迈出第一步，在只知道最后的，或者最近的思路之前。空气非常不好，以至唯一能生存下来的人就是从不充分呼吸，大口呼吸，或者很长时间不呼吸。而这种强大气流，如果它一定要紧接着这个地方的坏空气，几股风对他都将是致命的。但是，从坏空气到强大气流的过渡还是平稳的，适时的，而且是随着男人接近出口而渐渐出现的。或许空气比起出发的时刻，也就是他突然意识到他出发了的时刻已经不那么坏了。渐渐地，不管怎样，他的故事形成了，即使不是沿着有好有坏的日子，也是沿着一些不管有理还是没理已经在这个事件过程中确立起来的界标，例如最狭窄的那个口子，最响亮的坠落，最长时间的塌方，最长的回声，最强烈的碰撞，最陡峭的下坡，朝同一方向最多次数的连续转弯，最极度的疲劳，最长时间的休息，最长时间的记忆缺失和由前进发出的声响引起的梦想。对呀，触到身体的所有部分，一头是手，另一头是冰凉、潮湿、赤裸的脚的最肥沃的那段路。还有最舒服的那次洞壁的搔痒痒。总之所有最顶点。随后还有另外一些顶点，高度稍差一点的，就像非常强烈以至稍低于应该是所有碰撞中最强烈的碰撞的一次碰撞。另外还有一些顶点，稍稍低一点，一次很美妙以至几乎与应该说是洞壁的搔痒痒的最美妙的那次搔痒痒差不多的。然后是几乎没有,或者什么都没有的,直到最小的,同样也是难忘的,留下重要回忆的日子,非常微弱的坠落的声音,或者离得远,或者分量轻,或者从起点到终点经过的距离短,以至可能是他曾经想象的,或者还有其他的例子,仅仅两个连续的转弯,或者向左,或者向右,但这正是一个坏例子。还有其他的因为第一次出现,或者甚至是第二次出现而成为他的标志。例如,第一个狭窄的口子,或许因为他没有想到,给他留下与最窄的那个口子同样深刻的印象,第二次塌方也是一样,或许因为他想到了,就给他留下了同那次最短的塌方同样深刻的一个印象。不管怎样他的回忆就这样构成,甚至也这样修改,只要新的高度或者新的低度暗地里来推动,并且朝着忘掉这些偶然的临时的东西,只要其他的因素和动机出现,例如这些尸骨,他将很快就要处理尸骨了,完全因为它们量很大,来丰富他的回忆。

20 世纪 60 年代

出生前我已经放弃了，这不可能是别的样子，可是这一定要出生，是他，我在里面，我看到的事情就是这样，是他喊叫了，是他出生了，我嘛我没有喊叫过，我没有出生过，我不可能有嗓音，我不可能有思想，我说话并思考，我做不可能的事情，这不可能是别的样子，是他生活过，我嘛我没有生活过，他曾经日子过得不好，因为我，他要去自杀，因为我，我将讲述这事，我将讲述他的死，他生命的终结和他的死，逐步地，现在，仅仅是他的死还不够，这对我来说还不够，如果他发牢骚是他发牢骚，我嘛我不发牢骚，是他将死去，我嘛我不会死，人们也许将埋葬他，如果人们找到他，我将在里面，他将腐烂，我嘛我不腐烂，他将只剩下尸骨，我将在里面，他将只剩下骨骸，我将在里面，这不可能是别的样子，我看到的事情就是这样，他的生命的终结和他的死亡，为了死他将怎么做，我不可能知道这个，我将渐渐知道，我不可能现在说这个，我将说这个,现在,这将不再是我的事情,仅仅是他的事情,他的生命的终结和他的死亡的事情,埋葬的事情,如果人家找到他,这将到那儿为止,我不去谈诗歌、尸骨和尘埃,没有人对这些感兴趣,除非我在他的骨骸里厌烦了,这不会让我吃惊,同在他的壳里一样,这里有长时间的沉寂,他也许将自溺,他曾经希望自溺,他不希望人们找到他,他任何希望都不会再有了,但是他曾经想自溺,他曾经不希望人家找到他,一泓深水,脖子上吊个磨盘,激情熄灭,就像其他人,但是为什么一天转向左边,而不是朝向另一个方向,这里有长时间的沉寂,这里将只剩下我,他将再也不说我,他将永远不再说任何事情,他将不再同任何人讲话,任何人也将不再同他讲话,他将不再自言自语,他将不再思考,他将走开,我将在里面,他为了睡觉任凭自己躺下,不是随便什么地方,他将睡不好觉,因为我,他为了走得更远将起身,他将不好,因为我,他将不能待在原来的地方,因为我,他脑袋里将空空如也,我将把必需品装到那里面。[①]

20 世纪 60 年代

[①] 作者在本文中通篇使用逗号,仅仅在结尾使用了句号。译文照此处理。

霍恩夜里来了。我在黑暗中接待了他。我学会了忍受一切除了被看见。最初那段时间,五六分钟后,我就把他打发走。后来,一超过这段时间,他自己就走了。他在一只手电筒的照明下查看了自己的纪要。然后,他关上电筒,在黑暗中说话。光亮沉寂,黑暗言语。五六年了,没有任何人看到我,我自己是第一个。我谈论过去和不久前我调查得清清楚楚的我的脸。我现在试图重新做这种审视,以使它作为我的异版。我拿出我的小镜子和镜子。我最终将让别人看到我自己。如果有人敲门,我将高声说:进来!但我说的是五六年前的事。这些持续的时间的说明和这些将来的说明是为了我们感受时间的范围。身体不再让我痛苦。我尽我的能力掩饰它,但是当我站起来时,它就必然显示出来。因为我开始站起来。然后我让自己不痛快。无论怎样这还不严重。但是脸,一点办法也没有。霍恩于是在夜里。当他忘记他的手电筒时,他就使用火柴。例如,我对他说：她那天的裙子？他擦着火柴，翻找，找到有关材料，熄灭火柴并回答，例如：黄色的。他不喜欢别人打断他而我必须说我只有极少的机会。一天晚上我打断他，请他照亮他自己的脸。他做了，很快，熄灭火柴并继续他刚才的话。我再次打断他，请求他安静一会儿。没有再要求什么。但是第二天，或者仅仅是第三天，我请求他进来，照亮脸，并且保持这样直到有新的命令。开始时相当强的光弱下去了，直至只剩下一点点黄色的微光。这一点点微光，让我吃惊，持续了好一段时间。然后突然间坠入黑暗，霍恩也走了，或许五六分钟已经过去。但那有两件事情，熄灭或者是因为偶然的一个奇怪的效果，确实与晚上的结束有关，或者是因为霍恩，知道是他该走的时候了，他切断了燃烧进程的最后剩余部分。还发生过重新看见渐渐暗淡的脸的事情，只要阴影遮住脸，我就觉得我已经保持存在记忆中的那张脸在这张渐渐暗淡的脸上越来越清晰。最后，当它无法解释地延迟了完全消失的时候，我对自己说：毫无疑问，就是那张脸。正是在外面的空间，在不同他人混淆的情况下，这些图像组织起来了。为了不再看到这些图像，我只需插进一只手，或者闭上眼睛，或者为了让它们模糊不清，进一步摘下我的眼镜。这是一种优势。但这不是一种真正的保护，就像我们将看到的。所以当我站起来的时候，我宁可站在一个整体的平面之前，类似我从床上独占的平面，我说的是天花板。因为我又开始站起来。我认为我已经进行了最后一次旅行，现在我应该再一次试着在这个旅行中看得清楚，以使它作为我的异版，并且我最好是不再回来。但是我有个不得不着手另一次旅行的想法。我又开始站起来，并撑着床栏杆在我的房间里走上几步。其实我失去的是体育运动。已经那么多次地跳和跑，拳击和摔跤，在我年轻时，对某些专业项目来说还不仅如此，我在常规期限之前把机器损坏了。我甩钓鱼竿时已经超过四十岁。

20 世纪 60 年代

古老的大地，相当不真实，我曾看到它，这曾经是我自己，以对他人而言狮鹫般的我的眼睛来看，这太晚了。大地将压住我，这将是我自己，这将是大地，这将是我们，这向来不曾是我们。或许不是明天，但是太晚了。这是眼前的事，就像我看着大地，什么样的拒绝啊，就像大地拒绝我，我大大拒绝了大地。这是金龟子年，明年不会有了，后年也不会有，你把它们看仔细了。我夜里回来，它们飞走了，它们放开了我的小橡树，吃得饱饱的跑进阴影里。忧郁的我们看起来是称心的。① 我回来，抬起胳膊，抓住树枝，我站着并走进屋里。三年在大地里，这些避开了鼹鼠的金龟子，然后吞食，吞食，持续十天，十五天，夜夜飞行。也许飞到河边，它们朝着河那边飞走了。我开灯，我关灯，羞耻，我站在窗前，我扶着家具从一个窗户走到另一个窗户。瞬间我

---

① 原文为意大利语：Tristi fummo ne l′aere dolce。

看见了天空，各种各样的天空，然后它们形成面孔，衰亡，做各种各样的性爱，还有幸福，不幸已经有了。一生的几个时刻，包括我的一生，是的，在结尾。幸福，什么样的幸福，还有什么样的死亡，什么样的爱情，在这时我懂了，这太晚了。啊，爱情，临终，和看见死亡，生灵很快就珍贵了，而幸福，没什么，没有必要。可是现在，只是待在那儿，站在窗前，一只手按在墙上，另一只搭在衬衫上，并看到了天空，时间多少有些长，但是，打嗝和精液，童年的海，其他的天空，另一个身体。

20世纪60年代

诗　歌

余中先　译

她们来到
另样而又同样
每一人身上是另样而又是同样
每一人身上爱的缺乏是另样的
每一人身上爱的缺乏是同样的

对于她平静的行动
睿智的毛孔孩童般幼小的性器
等待不太缓慢遗憾不太长久不在场

用于在场
几片天蓝色破片在脑袋里心中最后的死点
一场雨终于停止整个晚来的恩惠
在八月份一个夜晚
来临之时

对于空空的她
他纯粹的
爱

在那儿没有牙床没有牙齿
输掉的快乐去了哪里
还有稍稍更低的赢得
的快乐
还有萝丝琳还有人们等待
副词哦小礼物
空的空的要不就是歌谣的碎片
我父亲给了我一个丈夫
或者同时做着鲜花
她浸湿
只要她愿意一直到哀歌
钉了铁钉的木头鞋离大集市还很远
或者恶棍的水在管子中发臭
或者再也没有什么
她浸湿既然就是这样
完善一切多余的
来
到白痴的嘴巴到痒痒的手
到地牢到眼睛它正听着
远方银色剪刀的响声

上　升

穿越薄薄的隔板
那一天一个
随心所欲的浪子
回到了他的家里
我听到嗓音
它很激动它评论
足球世界杯

始终太年轻

同时透过大开的窗户
空气中一切在奔跑
悄悄地
忠诚者的人潮

她的血大量地喷涌
在床单上在香豌豆上在她的男人上
他用他令人恶心的手指头闭上了眼皮

在大大的惊恐的绿眼睛上

她轻轻地研磨
在我空气的坟墓上

苍　蝇

在舞台和我
窗玻璃
空空荡荡除了它

肚子贴地
紧绷绷地裹在它黑色的肠子中
触角乱晃翅膀相连
爪子成钩嘴巴吸着空无
劈斩蓝天撞击看不见的物
在我无力的拇指底下它使
大海和宁静的天空倾翻

漠然的音乐
寂静的心时间空气烈火沙子
爱情的流动
掩盖了它们的声音而我
我再也不愿意
缄口不语

树林独自
鼓起燃烧私通独自死去如同以往
不在场的死了在场的发臭
在芦苇上挪走你的眼睛移开它们
它们互相戏弄或者三趾树懒
没必要因为有风
还有守夜的状态

就这样人们徒劳地
在晴天在阴天
关在自己家里关在他们的家里
就像昨天那样地回忆猛犸
恐龙最开始的亲吻
并不带来任何新鲜事的冰河时代
它们的第十三纪炎炎的热天
在热气腾腾的里斯本康德冷冷探身
梦想着一代代的橡树忘记他的父亲
他的眼睛他是不是留着小胡子
他是不是善良他死于何故
没有胃口的时候人们吃得同样多
在阴天在雨天
关在自己家里关在他们的家里

迪耶普[①]

依然最后的波涛
死的卵石
转身然后脚步
朝向古旧的光芒

[①] Dieppe,法国诺曼底地区的一个滨海城市,风景优美。

沃日拉尔街①

在半空处
我停住手天真地张大嘴巴
把牌子展放在光亮中和阴影里
然后坚定地走开
心中充满一种不容置疑的否定

---

① Rue de Vaugirard,巴黎最长的一条街。

吕泰斯的圆形竞技场①

从我们坐的比一排排阶梯还高的地方
我看见我们走进了圆形竞技场街的一侧,
犹犹豫豫,抬头看天,然后步履沉重地
穿越阴暗的沙土向我们走来,
越来越丑陋,跟其他人一样丑陋,
但又是哑巴。一条绿色的小狗
跑进了蒙日街的那一侧,
她停下来,她眼睛盯住它,
它穿越竞技场,它消失
在智者加布里埃尔·德·莫尔提耶②像基
　　　　　　　　　　［座的后面。
她扭转身,我出发了,我独自攀爬
陡峭的台阶,我的左手触摸到

---

① 吕泰斯(Lutèce)是巴黎的古称,圆形竞技场本来特指古罗马时的圆形竞技场,这里的"吕泰斯的圆形竞技场"是巴黎一个小广场的名称。
② 加布里埃尔·德·莫尔提耶(1821—1898),法国历史学家,史前史专家。

粗糙的梯栏,它是水泥的。她犹豫着,
朝蒙日街的出口迈了一步,然后跟上了
　　　　　　　　　　　　　　　　[我。
我身上一阵战栗,是我在跟我会合
现在我是用别的眼睛在瞧着
蒙蒙细雨下的沙土,水洼,
一个小姑娘在她身后拖着一个铁环
一对男女,知道自己在恋爱,手牵着手,
阶梯上空空荡荡,高高的房屋,天空
把我们照亮得太晚。
我转过身子,我很惊奇地
在那里发现她那张忧愁的脸。

直到洞穴中天空与土地
那些古老的声音一声又一声
来自坟墓中
而慢慢地同样的光芒
以前在遭久久强暴的埃纳平原上
浸泡着铁线蕨
跟以前
同样的法令
慢慢地远去熄灭
普洛塞耳皮娜和阿特洛波斯①
说不准的空无那么可爱
还有那鬼影的嘴

---

① 普洛塞耳皮娜是罗马神话中的冥后,阿特洛波斯是希腊神话中掌握人类命运的命运三女神之一,手持剪刀,专门负责剪断人的生命之线。

好的好的它是这样一个地方
那里有遗忘那里的遗忘温柔地
压在无名称的众多世界之上
那里的脑袋人们叫它闭嘴脑袋是哑巴
人们不知道人们什么都不知道
一张张已死的嘴的歌
死在了河岸上它旅行了一番
没有什么好哭的

我的孤独我了解来吧我了解得不够
我有时间这就是我心里想的我有时间
但那是什么时间饥饿的骨头是狗的时间
不断暗淡下来的天的时间我那一点点的天
光线带着眼睛一般的斑点颤巍巍地爬上
黑暗年代的<u>丝丝毫毫</u>

你想要我从 A 走到 B 我却不能够
我不能够走出我是在一个无踪迹的国度
是的是的这是一件美事你在那里有一件很
　　　　　　　　［美的美事

这是什么不要再向我提问
瞬间中旋转上扬的灰尘这是什么同一个
宁静爱情仇恨宁静宁静

A．D．之死

那儿在那儿仍还在那儿
紧贴在我那带黑色麻点的旧地板上
白天和黑夜被盲目地捣碎
留在那儿不溜走溜走也留在那儿
弯曲着供认即将死亡的时间
曾经是他被做的他所做的
拿我拿我昨天死去的朋友眼睛闪着光
长长的牙齿在他贪婪的大胡子中喘息
圣徒的生命一种闪耀着生命之光的生命
重新在夜晚中体验他那黑色的罪孽
死于昨天而我则活着
在那儿畅饮着比暴风雨还更高的
不可饶恕的时间之罪过
紧紧地抓住老树木出发的证明
回归的证明

活着死去我唯一的季节
白色的丁香花雏菊
被生生地丢弃的鸟巢
四月叶片的污泥
挂着霜花的美丽的灰色天光

我是这滑动的沙流
在卵石与小丘之间
夏天的雨落在我的生命之上
在我身上我的生命逃离我追踪我
将在它开始的那一天结束

亲爱的瞬间我看见你了
在这一片后退的迷雾的帘布中
我再也不必踏在那些移动的长长的门槛上
我将体验那时光那时一道门
自行打开并自行关闭

我将会做什么假如没有这个世界既无面容
　　　　　　　　　　　　　　　［又无问题
在这里生命只持续一瞬间在这里每一瞬间
曾经存在的生命都流到空无中到遗忘中
没有这一片波澜在这里到最后
肉体和幽灵都一起被吞没
我将会做什么假如没有这寂静喃喃之声的
　　　　　　　　　　　　　　　　［深渊
愤怒的喘息朝向救援朝向爱情
假如没有这片天空升起
在它所承载的灰尘之上

我将会做什么我将做得如同昨天如同今天
通过我的舷窗瞧一瞧我是不是唯一一个
游荡并转向远离任何的生命
在一个滑稽可笑的空间
没有声音却又跟声音一起
封闭在其中

我愿意我的爱死去
雨落在墓地上
在小小的街巷中我行走在那里
为那个以为爱着我的女人哭泣

除了头顶独自在里头
在某个地方某些时候
就像某个东西

头顶最后的庇护
放在了外面
恰如博卡在镜子中

带着一丝惊慌的眼睛
大大地睁开又封上
里面什么都不再有

由此某些时候
就像生命中的
某些东西并无定规

怎么说呢

疯狂——
疯狂如此——
如此——
怎么说呢——
疯狂如此这——
自从——
疯狂自从这——
鉴于——
疯狂鉴于这——
由于——
疯狂由于这——
这——
怎么说呢——
这个——
这一——
这一个——
整个这一切——
疯狂鉴于整个这——

由于——
疯狂由于整个这一切这个如此
如此——
看见——
隐约看见——
以为隐约看见——
竟以为隐约看见——
疯狂如此竟以为隐约看见了什么——
什么——
怎么说呢——
在哪里——
如此竟以为隐约看见了什么在哪里——
在哪里——
怎么说呢——
那——
那儿——
远处——
远处的那儿——
刚刚——
远处的那儿刚刚什么——
什么——
怎么说呢——
由于整个这一切——
整个这一切这个——
疯狂如此看见什么——

隐约看见——
以为隐约看见——
竟以为隐约看见——
远处那儿刚刚什么——
疯狂如此竟以为在那儿隐约看见了什么——
什么——
怎么说呢——

怎么说呢

注释和异文:

"她们来到"(第 200 页)
这首诗用英语写于 1937 年,由作者自己在 1946 年以前翻译为法语。佩吉·古根海姆在其回忆录《出自本世纪》(*Out of This Century*,纽约:日暑出版社,1946 年,第 250 页)中给出的英语原作跟法语译本稍稍有些不同(最后一行中有"life"一词,而人们一般认为应该是"love"),法语本最初发表在《现代杂志》(*Les Temps modernes*)第二卷第 14 期(1946 年 11 月),第 288 页(此杂志以下简称为 *TM*),第一首。

"对于她平静的行动"(第 201 页)
这首诗写于 1937 年到 1939 年之间,第一次发表在 *TM*,第二首。

"在那儿没有牙床没有牙齿"(第 202 页)
这首诗写于 1937 年到 1939 年之间,第一次发表在 *TM*,第三首。

《上升》(第 203 页)
这首诗写于 1937 年到 1939 年之间,第一次发表在 *TM*,第四首。

《苍蝇》（第 205 页）

这首诗写于 1937 年到 1939 年之间，第一次发表在 *TM*。请对照写于 1935 年的英语诗 *Serena I* 的最后一段。

"漠然的音乐"（第 206 页）

这首诗写于 1937 年到 1939 年之间，第一次发表在 *TM*，第六首。

"树林独自"（第 207 页）

这首诗写于 1937 年到 1939 年之间，第一次发表在 *TM*，第七首。

"就这样人们徒劳地"（第 208 页）

这首诗写于 1937 年到 1939 年之间，第一次发表在 *TM*，第八首。*TM* 的异文：第 11 行"好心"。

《迪耶普》（第 209 页）

这首诗写于 1937 年，是受荷尔德林的一首诗（*Der Spaziergang*）启发，第一次发表在 *TM* 上时无题，第九首。

《沃日拉尔街》（第 210 页）

这首诗写于 1937 年到 1939 年之间，第一次发表在 *TM*，第十首。*TM* 的异文：第 2 行"我停住我的手"。

《吕泰斯的圆形竞技场》(第 211 页)
这首诗写于 1937 年到 1939 年之间,第一次发表在 *TM*,第十二首(原文如此)。*TM* 的异文:第 21 行"把你们照亮得"。

"直到洞穴中天空与土地"(第 213 页)
这首诗写于 1937 年到 1939 年之间,第一次发表在 *TM*,第十三首。

"好的好的它是这样一个地方"(第 214 页)
这首诗写于 1947 年到 1949 年之间,第一次发表在《四季手册》(*Cahiers des saisons*),第 2 期(1955 年 10 月),第 115 页(此杂志以下简称为 *CS*),题目为《死胡同》。*CS* 的异文:第 18 行的"这是什么"首字母为大写。

《A. D. 之死》(第 216 页)
这首诗写于 1947 年,为的是纪念在圣洛(芒什省)爱尔兰红十字会医院工作的一位同事,第一次发表在 *CS*。异文:第 14 行"有麻点的老树出发的证明"。

"活着死去我唯一的季节"(第 217 页)

这首诗写于 1947 年到 1949 年之间，第一次发表在 *CS*。

"我是这滑动的沙流"（第 218 页）
这首诗写于 1948 年，第一次发表在《转变 48》（*Transition Forty-Eight*），第 2 期（1948 年 6 月），第 96 页（此杂志以下简称为 *TFE*）。

"我将会做什么假如没有这个世界既无面容又
　　　　　　　［无问题"（第 219 页）
这首诗写于 1948 年，第一次发表在 *TFE*。异文：第 1 行"面容"为复数，第 10 行为"如同昨天如同前天"。

"我愿意我的爱死去"（第 220 页）
这首诗写于 1948 年，第一次发表在 *TFE*。异文：第 3 行为"在街巷"，第 4 行为"为唯一爱过我的女人哭泣"。

约翰·弗莱彻

"除了头顶独自在里头"（第 221 页）
这首诗写于 1976 年，第一次发表在《午夜 21》上。

"怎么说呢"（第222页）

这首诗标明的日期为1988年10月29日，复制的手稿于1989年5月刊行在一份专用于伙伴书店①的印刷品上。

---

① 午夜出版社与其他出版社合作的一家书店。

蹩脚诗歌

1976—1978

对面
最糟糕
直到
让人笑

☆

深夜
回到
住所
开灯

关灯看见
深夜里看见
贴在窗玻璃上的
脸

☆

总而言之
言而总之
千千万万的
钟点的一部分
还不算
停止的时间

☆

空无的深处尽头
在何等的观察哨的顶端
眼睛以为发现了
微微动弹着
脑袋抚慰他说
这只是在你的脑袋中

☆

如此寂静使得以前曾
有过的将不再有
通过一种没有过去的话语
<u>丝丝缕缕</u>的喃喃
说得太多再也不能
发誓不再闭嘴

☆

请听它们
加入进来
字词
接字词
没有字词
脚步
接脚步
一步
接一步

☆

梭子边缘的
微光比脚步
更明显地熄灭
向后转去重新闪耀

不妨说是停息
远离两者
在自身又无自身
也无它们

☆

想象一下假如这个
有一天这个
有那么一天
想象一下
假如有一天
有那么一天这个

停止了
想象一下

☆

首先
平躺在硬物上
右侧
还是左侧
无所谓

其次
平躺在右侧
还是左侧
左侧
还是右侧

最后
平躺在左侧
还是右侧
无所谓
在全部
脑袋

☆

流动使得
任何事物
在同时成为
任何事物时
因此这一个
甚至这一个
同时成为
却又不是
让我们说一说

☆

星期六缓期
不再笑
自从午夜
直到午夜
也不哭

☆

每一天都渴望
成为充满生机的一天
不确信也不后悔
新生的一天

☆

夜晚你那么
祈求黎明
美好的夜晚
降临

☆

没有任何的乌有
将为乌有

而存在
既然它是
一无所有的
乌有

☆

刚刚迈开
最后的一步这脚
便停下来等待
就像习惯的那样
让另一只脚如法炮制
就像习惯的那样
这样担着重负
继续前进
就像习惯的那样
最终一直到现在

☆

眼睛看不出
好的东西
手指头就会让
好溜走
好好地抓住它们
手指头眼睛
好会回来
变得更好

☆

心里认识
糟的东西
头脑可以
对自己说糟
让它们
复活吧
糟会回来
变得更糟

☆

别忘了在丹吉尔
圣安德烈墓地
死人埋葬在一大堆
鲜花底下
怀念着亚瑟·凯塞尔
跟他心心相印
一直坐在
那长椅上面

☆

稍远处另一人追念
卡罗琳·海·泰勒
忠诚于她的哲学
只要有希望就有生命
她逃离了爱尔兰来到天国
在一九三二年的八月

☆

别忘了在斯图加特
长长的内克街
来自虚无的诱惑
不再像以往那样
疑心是那么的强烈
怀疑已在那里待过

☆

陈旧的走
陈旧的停

去
不在
不在
停

☆

疯子你们曾说
永远不再
那么快
你们再说吧

☆

一步又一步
没有任何地方
没有任何一人
不知道如何
小小的步子
没有任何地方
固执地

☆

梦
无尾
也无间断
一切全无

☆

死在它那些
死苍蝇中间
一阵穿堂风
摇动了蜘蛛

☆

从哪里
传来的嗓音说

活下去

从另一个生命

☆

从生命中
幸存的字词
请再跟它做伴
一会儿吧

☆

江河与海洋
为它留下一条生命
给锅形沼泽附近
的这库塔布隆小溪

☆

步履坚定
不再等待
走在前面
漫无目的

☆

刚刚走出隐修的住所
便是风暴之后的安宁

☆

在彼此倾听的那一刻
不再长久地抱怨
生命最终向他微笑
露出满嘴的牙齿

☆

夜晚来到心灵
最终求得了平静
他的心中毫无杂念
提前一个钟头将它归还

☆

没有更多的
回忆给年岁
四月的一天
一天

☆

一天夜里他的幽灵
又出现在他眼前

拖得细长变得苍白
然后解体

☆

你这在地狱中
的黑色姐妹
乱七
八糟
你在等待什么

☆

九十岁的侏儒
喃喃地发出最后一声恳求
发发慈悲至少给一个棺材
正常尺寸

☆

在睡梦的尽头一只雄兔
被迫向兔窟告别
懒于再抵抗故意地
忘记了蜡烛台

悬　崖

郭昌京　译

我们不知道什么地方的天地之间的窗户。它朝向一座枯燥无味的悬崖。崖顶避开了眼睛无论眼睛在哪儿。崖的底部也是这样。永远是白色的天空的两角位于窗户两侧。天空任凭眼睛猜测大地的一个末日吗?居间的苍穹?无踪迹的海鸟。或者海太明亮了,以至显现不出来。最后单面的证据在哪儿?眼睛无论在哪儿都找不到任何证据。眼睛放弃了,而疯狂对此感兴趣。首先峭壁上的一块突起部分的阴影终于浮现。它坚忍不拔让其他死气沉沉的部分充满生机。一整个的头颅显示出来作为结束。它们中唯一的一个值得这个残骸。额骨仍然试图回到岩石中。眼眶隐约可见古老的目光。此时悬崖消失了。而目光飞向远方的白色。或者转换到前排。

1975 年

一个晚上

郭昌京 译

他躺在地上被人发现。一个意外。任何人都不惦念他。任何人都没有找他。一个老太太发现了他。这是不确定的。这些事是那么古老。她漫步寻找野花。只找黄色的花。只盯着黄色花的她绊倒在躺着的人身上。他面朝地,双臂张开横陈地上。尽管是这个季节他却穿着一件冬天的外衣。掩在身下的一排不成套的扣子把他从上到下扣住。站着的人下摆拖到地面。这看起来像是定住了。一顶帽子歪斜地躺在头的旁边。帽檐和帽盔着地。外衣的暗绿色让他毫不引人注意。只有白色的头能从远处吸引寻找者们的目光。她究竟从什么地方看见他了?站在什么地方?请注意。她穿着黑色的衣服。她的黑色长裙拖曳在草地上。这是黄昏。如果她重新向东走就将跟在她的影子后面。长长的黑色的影子。这是羊羔的季节。但是这里一只也没有。她一只也没有见到。如果碰巧有一个第三者,其实也只能看见他俩自己的身体。首先站着的老太太。然后走到跟前躺着的身体。这像是定住了。草地空无一人。黑衣老太太一动不动地站着。身体一动不动地躺在地上。黄色花在黑色的臂端。白发在草地上。东方沉浸在夜色中。注意。时间。直到傍晚天空都有云。星辰最终已经在西—北—西方向的地平线上出现。下雨了吗?任你怎么说下了几滴。任你怎么说早晨下了几滴。目前停了。这些事是那么古老。全天都关在家里她同太阳同时出来。她急于踏上草地。因为一个人也没有见到而惊奇的她那么急不可耐地漫步寻找野花。急不可耐地看见夜的临近。她惊奇地注意到这个季节这个地点众多的羊羔没有出现。她穿着年轻寡妇穿的黑衣服。正是为了上坟,她采摘他曾经喜欢的花。黑色臂端还没有所需的黄色花。这简直不可能。这对她而言是她出门后的第三个惊奇。因为这个季节这个地点黄色花很多。永远的朋友她的影子妨碍了她。以至她最后面对着太阳。一朵花出现在离她要走的路一段距离之外,她斜插过去。她焦急盼望日头落下,盼望再次在长长的余晖下自由漫步。她的黑色长裙在草地上拖曳的熟悉的簌簌声增加了她的不安。她眯着眼睛朝前走就像被余晖吸住了。她可以自言自语说这对三月或者四月的唯一一个晚上来说太离奇了。一个人没有见到。一只羊羔的影子也没有。几乎没有花。不吉利的影子和簌簌声。更糟糕的是脚碰到的身体。一个意外。任何人都不惦念他。任何人都没有找他。黑色和绿色衣服碰到了一起。采下的黄色花在白发旁边。阳光照耀下的老面孔。就像人们说的活生生的小画。此后就是沉寂。因为她将不能答辩。太阳最终带着所有的影子消失了。在这个地点。余晖慢慢退去。无月亮无星辰的夜。全部这些像是定住了。但是没有更多要说的了。

20 世纪 60 年代

看不清道不明

余中先 译

从她躺着的地方看去她看到金星升起来。还有。从她躺着的地方看去天气好的时候她看到金星升起来后紧接着太阳升起。这时候她就抱怨整个生命的法则。还有。晚上天气好的时候她享受着她的报复。对金星。在另外那扇窗户前。她僵僵地坐在她的旧椅子上注视着那颗灿烂的星星。她那把没有扶手却带小条条的冷杉木旧椅子。它在最后的几线日光中浮现并变得越来越亮然后倾斜并紧接着沉没于无形。金星。还有。她笔挺地僵僵地待在那儿在渐渐变得浓重的阴影中。穿着一身黑。她很难一直保持原先的姿势。在站起来准备走向确切的某一点时她常常不由得愣在那里。只是在很长时间之后才能重新出发。她的膝盖尤其有毛病无法不永远地留在那里。双手彼此相叠撑在一个什么支点上。就像她的床脚那样。而脑袋则在它们上面。她就这样仿佛化为了一块石头面对着黑夜。显现在黑暗中的只有白色的头发以及白中微微发蓝的脸和双手。对一只眼睛来说根本不需要光线就能看。这一切都在眼前。就仿佛她很不幸还活在世上。

　　乡间小屋。它的遗址。注意。去。乡间小屋。在一片无形状空间的并不存在的中心。总之不是什么别的就是一个圆。当然是平面的。要直线地从里头出来她要花五到十分钟。按照步子和直径距离。她这个喜爱——她这个不知道别的只知道——游荡的人再也不在这里游荡了。这里始终有比别的地方更多的小石子。最能疯长的野草在这里始终很难找到。她慢慢地从被围在一块贫瘠的白垩质土地中央的飞地来到了那块白垩地上。没有任何人反对。从来就没有人反对。仿佛这就是一种命中注定。在这样的一个地方小屋子来做什么呢？它到底能来这里做什么呢？注意。在回答问题之前要知道在它竖起的遥远年代苜蓿一直长到了它的墙根前。言下之意显而易见反倒是它的错。从它开始这话该怎么说呢？就像从一座凶宅不幸开始传播。从来没有任何人主张拆毁它。就仿佛有天命在保护它。就这样。月光下一种惊人效果的白垩质石头。可以假定天气好的时候她会处在反面。于是老女人刚刚离开落下的金星很快来到另一个窗户看另外的奇观出现。仿佛随着它升起来它也越来越白把小石头也照得越来越白。僵僵地站立脸和手贴着玻璃窗她久久地惊叹不已。

两个区域构成一个大约呈圆形的围墙。就像一只颤巍巍的手画出来的。直径？注意。一千米。更少。平均。更远的地方便是未知数了。很幸运。常常感觉到比大海还要低。尤其在夜晚天气晴好时。大海近在咫尺却看不见。听不见。草底下整个的表面。一旦走过小石子区域。除非她撤离白垩土的地方。千万个深浅不等的白花花的斑点。月光下动人的场景。实际上是一些牲畜只是一些羊。再三的迟疑之后。它们都是白色的而且很容易满足。真神秘突然从哪里来又要去哪里。没有牧人它们随心所欲地游荡。鲜花呢？注意。只有一些藏红花。在羊羔的季节。而人呢？最终完全被摆脱了？当然不是。因为有一天她是不是将不会惊讶地发现再也看不到人了？没有惊讶她再也不会惊讶了。多少？不管怎样总是一个数字。十二。用地平线上的这些来装点这小小圆圈。她把眼睛从地面抬起到她的脚她看见了一只。转过一点点又看见了另一只。如此再三。总是远远地。纹丝不动或者渐渐远去。她从来都见不到它们朝她而来。或许她忘了。她忘了。它们总是同一些吗？它们看到她了吗？够了。

若是一片草原恐怕会更好。但是事情并不是要做得更好。需要的是羊羔。不管有理还是无理。一片草原就能允许羊羔在那里。要羊羔为的是白色。还为了别的晦涩的理由。另一个理由。为了能够突然不再有它们。在羊羔的季节。一片草原并不会把它们排斥在外。事情最终就是这样。而且是何等的羊羔。没有任何的生气。青草中的白斑点。脱离了无动于衷的母亲。凝定。然后一瞬间中又游荡起来。然后又凝定。如此再三。可说是在这个世纪中有活的生命。安静。

一个地方吸引了她。有些时候。一块石头矗立着。远远望去白色的。是它在吸引她。带圆拱的长方形高度是宽度的三倍。四倍。它现在的尺寸。它小小的尺寸。当这些抓住了她时她就必须去那里。她从住所看不到它。她倒是可以闭着眼睛走到那里。她不再自言自语。她从来就没有怎么自言自语。现在更是根本没有。就仿佛她很不幸还活在世上。但是在那些时候祈祷就在她的脚边。**把她带回去吧**。尤其在天气晴好的夜晚。有月亮或是没月亮。它们把她带回让她停在面前。她也在那里像是一块石头①。但是黑色的。有时候在月光下。常常有星星。她渴望它吗?

在世俗的想象中破房子似乎没有人住。时时被监视着的它并没有显露出有人的迹象。贴在一个窗户和另一个窗户上的眼睛只看见黑乎乎的窗帘。它在门后久久地一动不动地倾听着②。什么都没有。碰撞。没有人。白白地监视夜晚一丝丝的微光。最终回到她的地方并承认,**没有人**。她只给自家人看。但是她没有自家人。不不她有一个。她有的是谁?

有好一段时间她没有出现在碎石地上。一段很长的时间。如此地不让人看见她出去和回来。那段时间里她只出现在田野中。如此地不让人看见她离开田野。要不然就仿佛是在迷醉中。但是渐渐地她开始出现在那里了。在碎石地上。一开始很隐蔽。随后越来越明显。直到让人看到细节向外和向里穿越门槛并在身后把门关上。随后的一段时间她不出现在她的墙内。一段很长的时间。但是渐渐地她开始出现在那里了。很隐蔽。说实话这段时间还在持

---

① "祈祷"(la prière)与"石头"(la pierre)词形相近。
② 从上下文来看,应该是眼睛在倾听。

续。尽管她不再在那里了。很长时间以来。

是的在家里直到现在她只是出现在窗户前。在一个或另一个窗户前。出神地面对着天空。直到现在只有一个阴影中的床铺和一把幽灵似的椅子看不清楚。还有在她细碎的来来往往中那种突然停在半途的方式。还有她那没完没了的下跪。但是她开始渐渐地更好地出现在那里。跟别的东西同时在一起。就像在她的枕头下——就像在任何一个抽屉的尽头——那本从黑影中出来的画册。在合适的时候也许将和她一起翻阅。看到年老的手指头翻动着书页。那些将让她的脑袋低下来并久久地定在那里不动的图像会是什么。谁知道等到的不过是干花。压得扁扁的。仅此而已!

但是在她最喜欢去的地方一下子抓住她。在远离她家的田野里。她穿越碎石地来到田野。总是变得越来越醒目。很显然她出门越来越少。只是在冬天才可以这样说。冬天她在她自己的家里闲逛冬天。远离她的家。她低着脑袋脚步缓慢地踏雪而行不断地改变方向。那是晚上。又一个。她拖在雪地上的长长的影子陪伴着她。其他的就在那里。就在周围。那十二个。远远的。纹丝不动或者渐渐远去。她抬起眼睛看见了一个。转过身子又看见了另一个。她还在那里凝定着。就在这一去不复返的一刻。但是有什么东西不对劲。就那么一小会儿以为隐约看见了一小截黑色的紫罗兰。再晚些是脸。就那么一小会儿在低下眼睛之前。在初升的太阳中只看见皑皑白雪。周围她的踪迹仿佛慢慢地消失得干干净净。

是什么在保护她？甚至防着自家人。让她在胆怯的行为中低下目光。指责攫住了她。克制住不去猜测。没有保护的她。是生命在结束。她那属于她的生命。她那属于另一个的生命。但那么不同。她什么都不需要。可说的。但另一个。到后来如何又需要了？但如何呢？到后来如何又需要了？

她消失的阶段。长久的阶段。在藏红花的季节那将是朝着远处坟墓的方向。在想象中依然还有这个。通过下面的或伸到胳膊上的枝条抓住十字花或者花冠。但是她的短暂消失是没有季节的。从一年中无论什么时候到另一个时候她都可能不再在那里。突然再没有任何地方可以看见。无论是通过肉眼还是通过另一只眼。随后同样突然地又在那儿了。很久以后。如此再三。换成任何一个人都将拒绝。都将承认,**没有人**。再也没有人。另一个之外的任何一人。另一人等待着她重新出现。好能够再抓住。再抓住——怎么说呢？怎么说得不明不白呢？

使劲地盯着荒野中一个细节的眼睛噙满了泪水。住所中的疯女人玩得很痛心。黑夜来到不在场的女人听见了大海。撩起了她的裙子好走得更快并露出了她的高帮皮鞋和裹着腿肚子的长筒袜。眼泪。最后的例子在她的门前石板被她的小小分量非常非常用力地粉碎。眼泪。

在为长筒袜而松开之前高帮皮鞋已经被扭错了扣子。当这发生时眼睛已经哭累了，瞧这扣钮钩①它比正常尺寸要大一些。银质的色泽暗淡形状像鱼挂在一个铁钩子上。它不断地轻微摇晃。仿佛大地就在这里不断地震动。轻微地。椭圆形柄上的凹纹令人联想起鱼鳞片。干巴巴的眼睛沿着微微弯曲的柄杆一直向上望到钩子或钓钩。由于拔得太多了它的弧形已经有些走样。以至有时候显得没法再用。很容易用一把钳子来矫正走形。有朝一日它会不会用上一回呢？注意。越来越远。直到不再能够。不

---

① 扣钮钩是一种用来扣鞋上、手套上的纽扣的一种工具。

再能够压在枝条上。哦不是由于虚弱。从那时候起它便挂在钉子上没有用。难以觉察地摇曳不止。有几个晚上天气晴好时闪着银色的反光。那时候是特写镜头。钉子毫无理由地支配一切。这一形象久久地留在那里直到它突然变得模糊。

她在那儿。重又在那儿。让在外面的眼睛走神一会儿吧。在黎明或黄昏的时刻。因天空而走神。因天空中的什么东西而走神。等它再度回过神来时窗帘已经不再拉上。已经被她拉开以便她能看到天空。但是即便没有这一切她也在那儿。重又在那儿。即便窗帘没有拉开。突然已经拉开了。一道闪电。突如其来！她没有停住就凝定了。没有起步就行走了。没有走就在路上了。没有返回就回来了。突然之间已到傍晚。或者黎明。眼睛盯定没有窗帘挡住的窗户。天空中将再没有东西能让它分神。始终死死地盯着。咔嚓！闭上。什么都没有动。

一切已经混淆。物体与幻象。就像历来那样。混淆并取消。尽管采取了种种措施。假如她只能是个影子。无家可归的影子。这个如此奄奄一息的老女人。如此大限临头。在疯狂的脑瓜中而不在任何别的地方。那里再没有什么措施可以采取。再没有什么可能的措施。跟别的一起关闭在其中。乡间小屋碎石地以及整个凌乱不堪的屋子。还有监视者。那时仿佛一切都很简单。假如一切都只是影子。既不存在也不曾存在更不会存在。安静。接下来。注意。

这里来了两道救命的光线。两个小小的眼洞窗。锥形屋顶的每一面都有它的窗洞。每一个都有一道半明半暗的光线从它那个方向射进来。如此说来没有天花板。显然。不然的话窗帘拉上后她就将时刻处在黑暗中了。后来呢?她再也不怎么抬起眼睛来了。但是躺下时睁着眼睛她隐约看见了屋顶架。在从日光中落下的半明半暗的光线中。始终更为暗淡的半明半暗的光线。窗玻璃总是那么不透明。在漆黑一团中她走过来又走过去。她黑色长裙子的裙摆擦着地面。但她更为经常的是一动也不动。站着或是坐着。躺着或是跪着。在日光洒下的半明半暗的光线中。要不然窗帘就像她喜欢的那样紧紧地拉上她就将时时刻刻处在黑暗之中。

随后从阴影中浮现出一道分界墙。又渐渐地模糊起来让位于一个连续不断的空间。左边是床铺。右边是椅子。如此说来只有她对它的使用才能把这个地方一分为二。无论怎么说都那么偏爱一个连成一片的室内空间。眼睛轻松下来喘了口气但时间不太长。因为慢慢地墙又重新形成了。慢慢地露出地面并上升消失在影子中。阴影。那是晚上。扣钮钩在夕阳的光芒中闪闪烁烁。床铺若隐若现。

她不在场而不愿意无所事事的眼睛不得已去看十二个。在它的视野之外就像她在它们的视野之外。她独自在那里转过身来眼睛一直看着地面。在她的脚下道路到了头。冬天的夜。一片模糊。事物是那么陈旧。孤独的眼睛看不到别的只得朝向那十二个。随便哪一个。它在对面的远处矗立起来面对着夕阳。暗色的大衣一直到地上。以往时代的高礼帽。最终满脸映照着最后的霞光。在夜幕降临之前变得粗犷并很快地吞噬。

眼睛赶紧看根本不需要光线就能看见。在夜幕降临之前。就是这样。就这样中断了。然后满足——然后满足在眼皮下面无理性的自由场所。假如不是她的话它们还围成圆圈做什么？注意。已经不再抬起眼睛的她抬起了眼睛并看见了其中的一些。纹丝不动或者渐渐远去。渐渐远去。从太近的地方看去它们拉开了距离。同时另一些则向前走。她的游荡使她远离它们。她从来没有见到它们中有哪一个朝她走了一步。或许她忘记了。她忘记了。瞧瞧它们朝她迈步了。并没有彼此靠近。就这样它们把她围在中央。差不多如此。假如不是她的话它们还能围什么呢？从它们围的圆圈中她毫无障碍地消失了。它们让她从它们中间消失了。却没有跟她一起消失。如此毫无道理可言。在眼睛注视它那份口粮的时候。昏沉在它自己的黑色之中。在一团漆黑之中。

在垂死中希望再见她一次她就又在那儿了。乍一眼看去没什么变化。那是晚上。将永远是晚上。只不过还不是深夜。她出现在田野边上并开始穿越田野。慢慢地迈着轻飘飘的步子仿佛失重了一样。突然地一次次停住又迅雷似的再出发。照这样走下去的话还不等她走到天就将黑了。时间刹住了必需的时间。配合了她的步履。就这样从开始到结尾一路上始终是相同的黄昏。除了几根蜡烛。她摸索着大致向南走着朝迎面而来的月亮投下她长长的黑影子。他们①终于出现在门口手里拿着一把大钥匙。同时来临的是黑夜。当来的不是晚上时来的就将是黑夜。她展现着自己低着脑袋面朝东

---

① 当指"她"和"她的影子"。

方。头发上白色的光环。只有悬挂在一根手指头上的磨得光光的旧钥匙在动弹。它微微地来回摇晃在月光底下微微地闪着亮光。

自下而上来看的话脸就终于看到了。靠着石板映出的微弱光线。平稳的石块稍稍有些凹陷被好几个世纪来来回回的脚步磨得又平又滑。透着青灰的白色。没有一道皱纹。这古老的面具它显得多么安详。可以跟某些刚死之人的脸媲美。确实让人期盼闪电般的眨动。闭上的眼睛没有露出它们的眸子。未来将会说它们有着褪色的蓝色眼圈。对它来说眼泪可以显得不太陌生。不可想象的以往的眼泪。煤玉一般黑的眼睫毛曾是浅褐色头发的姑娘留下的痕迹。也许曾是。在她一开始。有着浅褐色头发的小姑娘。嘴唇一号召鼻子就跳起来嘴唇刚被诱惑就消失得无踪无影。带着天空形象的石板暗淡下来。从此便是漆黑的夜晚。黎明时刻再也没有任何人。根本不可能确定她是回到了家中还是在夜色的遮掩下又出发了。

白花花的石子数量每年递增。几乎可说是每时都在递增。没有问题它们只要稍稍继续下去就可以把一切掩埋。一号地带比起乍看之下看得不真切时面积更大而且每年都递增一点点。月光底下景象实在动人这千百万个微小的坟墓每一个都是唯一的。但是很少有什么可以安慰她的。最终离开那里去另外一个叫错名的白垩质平原。萎黄的牧场中散落着一些白花花的斑片那里白灰灰的土壤不长青草。瞧着那露出地面的石灰质眼睛又受起苦来。到处都是石头。一片白花花。每年都在递增。几乎可说是每时都在递增。每时每刻到处都是一片白花花。

眼睛将回到它变节的地方。告别眼泪冻结的那些地方百年不回。还有一瞬间的自由洒下滚烫的眼泪。在那些曾经十分幸福的眼泪上。同时享受那大堆的白色矿藏。没有办法只好不断地堆积在它自己身上。假如再继续下去的话它将一直堆上天去。月亮。金星。

她从碎石地走下田野里。就像从马戏场的一节台阶到下一节台阶。区别只有时间来填补。因为不断上升的小石子底下的另一种土壤也在升高比碎石地的入侵更快。所有这一切在眼下都无声无响。时光将宣告这一寂静的终结。傍晚和黑夜这一巨大的寂静。沿着整条的边缘都是石子擦着石子的沉闷声响。满溢出来的那一些摩擦着露在外的那一些。首先越来越远。随后越来越频繁。一直到混淆为一种持续不断的滚动。没有任何人听到。然后随着水平变得相等便微弱下来直到重新归于寂静。傍晚和黑夜。等待中她突然就坐在那儿两脚踏在田野里。两手空空在路上谁知道是不是去坟墓。更可能是从那里回来。回来的途中。凝固不动地忠实于自己她好像变成了石头一般。面对着其他的边缘眼睛白白地闭上看得不太真切。最后它们出现了一会儿。在北面在她总是穿越它们的方向。沉睡的灿烂迷雾。在那里消散为天堂。

长长的白头发一根根竖立成扇形。在平静的脸上东一处西一处。仿佛从来没有从一种古老的恐惧中回过神来。或者始终在同样的恐惧的打击底下。或者在另一种别的什么那里。留一副冰镜一般的脸面。寂静得如吼叫的眼睛。说哪一个？说不清。哪一个？那两个。那三个。这就是回答。

她背向地坐在小石子上。从盆地开始。黑乎乎的长方形躯干。衣服黑色花边领子底下的脖子。半罩在光环中的白色的头发。面朝北方。在坟墓前。她也许在凝望着地平线。或者闭着眼睛看到了石头。枯萎的藏红花。夜晚没完没了地长。她斜斜地沐浴着最后的几抹夕阳之光。它们没有改变任何东西。既没有改变黑色的衣服也没有改变白色的头发。它们也纹丝不动。在纹丝不动的空气中。这天晚上跟任何时候一样万籁俱寂。傍晚和黑夜。只有凝望着青草。她是如何纹丝不动地弯曲着啊。直到在热烈的目光之下她不寒而栗。一种来自她内心深处的细微战栗。甚至连头发。纹丝不动地竖起最终在处于抛弃边缘的目光下它们微微地颤抖。衰老的身体本身也一样。当它显得像石头一般的时候。它难道不是真的从头顶到脚底都在颤抖吗？愿她只是凝固在另一块石头旁边。远远地矗立在田野里的那块白石头。愿眼睛从这一块上经过再到另一块。经过并再经过。那时是何等的宁静。何等的风暴。在丧事的假宁静之下。

　　只可能在幻景的状态中。再也无法把握。她和其他一切。只有一劳永逸地闭上眼睛并看见她。她和其他一切。真正地闭上它致命地看到她。没有一丝的消失。在乡间小屋。通过碎石地。在田野里。在迷雾中。在坟墓前。还有返回。还有其他一切。一劳永逸。一切。致命地。从中摆脱出来。再来下一个。接下来的幻景。这个肮脏的肉眼真正地闭上它。有什么东西妨碍吗？注意。

由于老是——失败由于老是失败疯狂混杂了进来。由于老是有那么多的碎片。无论怎么看无论怎么说。害怕黑色。白色。空无。愿她消失。以及其他一切。真正地。还有太阳。最后的余晖。还有月亮。还有金星。只剩下黑色的天空。只剩下白色的大地。或者相反。再没有天空也没有大地。高处低处全都结束。只剩下黑色和白色。无论在哪里到处都一样。只有黑色。空无。没有别的。凝望这个。再没有一个词。终于成了。宁静。

随后惊慌过去了。双手。俯视。它们一只套在另一只里放在小腹上。一种不协调的白色。它们微弱的青灰色被黑色的背景抹却。怀疑手腕处的花边。想起衣服领子。它们搂紧。放松。心脏慢动作似的收缩舒张。还有躯体这个不毛之人。这期间只有她的双手可见。在她唯一的那个小腹上。当然纹丝不动。在椅子上。在这景象之后。缓缓地摆脱迷恋。它们久久地施展着这手腕。抱紧然后放松这拥抱。一颗劳累的心的节奏。令人绝望之时它们突然又分开了。突然缓缓地。在一个上升的动作中脱开并手心朝天一动不动。这就是我们的掌心。

然后过了一会儿就像是为了掩盖线条它们又放下并翻转手心朝内放在大腿的上部。离分叉处只有两根手指头宽的距离。正是在这一时候左手的无名指不见了。无疑是肿胀——无疑是指骨和中节指骨之间的关节肿胀了突然某一天不能把戒指摘下来。订婚戒指这一类。它们僵住了如同两颗小石子像它们那样藐视着目光。它们是不是仅仅感觉到衣料底下的肌肤？衣料底下的肌肤有没有感觉到它们？它们①将不再颤抖了吗？这一夜肯定不会。因为还不等它们②——还不等眼睛来得及看形象已经蒙上了一片雾气。是谁是什么的错？是它们？是眼睛？是那根缺席的手指头？是关节？是叫喊？什么叫喊？是那五个。是那六个。是所有的那几个。是一切。是一切的错。一切。

田野中的冬夜。雪已经停了。脚步是那么轻留下的痕迹勉强能看清。雪停后勉强能看清痕迹。停得刚好是时候能让痕迹留下。一场好雪。在这样的漂移中她知不知道该做什么？同样知不知道该拐弯还是该直行？或者径直地向

---

① 这里的"它们"从阴性代词变成了阳性代词，应该是指"肌肤"和"衣料"，而不再是"双手"。
② 这里的"它们"又从阳性代词变成了阴性代词，该是指"双手"。

着幻景？停靠的站台在哪里？眼睛终于在远处分辨出一个污点似的东西。原来是坡度很陡的屋顶而支撑的底木开始从中滑落。在又暗又低的天空底下已经找不到北方了。十二个在那里已经被雪抹掉。即便她抬起眼睛她也看不见它们。她则相反显得一尘不染的漆黑一片雪花都没有落到身上。少不了它们会又开始落下它们干的就是这个。一开始东落一片西落一片。随后越来越密集穿过纹丝不动的空气笔直地坠落。她慢慢地消失了。带着她的踪迹以及远处屋顶的踪迹。她将会怎样回去？像一只候鸟那样。平安回到目的地。

在乡间小屋里这一期间它变白了远方深厚的漆黑。一片寂静没有想象中雪花砸碎在屋顶上的喃喃之声。而在远方越来越远一记真实的嘎巴声。她的那一群。这里眼睛没有闭上看到了远处的她。纹丝不动地在雪中在雪下。扣钮钩在它的钉子上颤抖仿佛微不足道。面对着黑色的窗帘椅子显现出孤独。在它的谱系中缺乏一张桌子。离它很远在一个角落里突然出现了一个当时式样的大木箱子。它也同样那么孤独。它知道是什么在嘎巴嘎巴响。在它的深处它知道那个细腻的词。细腻的词。但是那一夜是椅子。它仿佛永久以来就一直留在原地。有空孔的靠背比起空空荡荡的座椅来有过之而无不及地使人不快。她就是坐在这上面吃饭的是的她就在这上面吃饭。眼睛闭在一片黑暗中而最终就看见她了。她用右手似乎很顺手拿住搁在她膝盖上的碗的边沿。左手拿着在羹汤中抖动的匙子。她等待。也许想让它凉一凉。哦不对。只不过再一次地凝固在她将要进入的时间中。终于在一种带着优雅意味的双重动作中她慢慢地把碗端到嘴唇边同时以一种同样的缓慢把脑袋低下来凑向碗。它们在同一时刻出发相会在了半途并一动不动地愣在那里。新的僵硬在第一匙之前而这一匙中有一部分又落回到了碗里。又是同样的几匙然后动作实施并缓缓地在相反方向上完成做得跟出发时同样地精确和流畅。她又重新坐在那里直挺挺的僵硬得像门农①一般。她用右手拿住碗的边沿。左手拿着在羹汤中抖动的匙子。这只是一个开始。但是在能够重新抓住之前她变得苍白并消失。在睁得大大的眼睛前只剩下了留在孤独中的椅子。

---

① 门农是希腊神话中的埃塞俄比亚王,在特洛伊战争中被阿喀琉斯刺死。他的母亲黎明女神厄俄斯用浓云的面罩掩蔽自己,使大地陷入黑暗,然后她召唤来大风,趁着大风从敌人手中夺回了儿子门农的尸体。

一天晚上一只羊羔跟着她。屠宰场的羊羔跟其他的同类一样但它脱离了羊群而黏在了她的脚后。最终来到了现在。事情是那么陈旧。除了屠宰场这一点它跟其他羊不一样。它的毛卷成了螺旋形而且还拖在地上使人无法看清它的蹄子。它看起来简直不是在走而是像一件被她拖在后面的玩具那样在滑动。它跟她在同一瞬间停下。跟她在同一瞬间重新开始流浪。她知道自己被它跟着吗?它像她一样僵硬像她一样把头低得异乎寻常的低。黑色与白色的碰撞在最后的几丝夕阳下不但不见柔和反而显得特别扎眼。于是在这时候它那小小的身影跃入了眼帘。她的。实际上它真像是在她裙子底下的小小宠物。简短的谜。因为突然之间他们就步调一致地走了起来。拐弯抹角地走向碎石地。她在那里掉转身子坐了下来。她看见了在她脚边的白色躯体吗?现在她抬起了头瞧着空无。这一混杂。或者眼睛闭着看见了坟墓。它不会走得太远。独自在这封闭的夜里最终她走上了返回住所之路。按照可以看见的程度尽可能地走直线。

是不是曾有过那么一段时间会没有任何问题?还未出生就胎死腹中直到最后一个。之前。刚刚孕育。之前。那时再没有问题回答。

不能够做到它。不能够不愿意知道。不能够做到它。不。从来不。一个梦。这就是回答。

屈从于这一状况的眼睛怎么办？这苏格兰式的点滴输液。但是瞧瞧不再睁开它了。事情已做。它已做。或者被抛弃。空架子和不合理。只能用来恢复。对所谓的可见世界。这一外壳。很恶心地快快重新加满它并再关闭它。在她之上。直到它完成。或者半途而废。这就是回答。

大木箱。夜里翻看了很久它是空的。什么都没有。只是在最后一刻在灰尘底下一张纸片一边还撕破了仿佛是从一个记事本上撕下来的。在发黄的一面上用一种几乎难以辨认的墨水写着一个词和一个数字。Mer 17。或者是 mar①。Mer 或者 mar 17。要不就清清白白。就空空白白。

她又浮现出来一个背影。纹丝不动。傍晚和黑夜。纹丝不动的背影傍晚和黑夜。躺着。注意。艰难地就地而卧见到膝盖的下部。祈祷。假如有祈祷的话。呵她只消跪倒得更厉害

---

① "Mer"令人联想到"mercredi（星期三）"，而"mar"则可能会是"mardi（星期二）"。

一些。或者在别处。在她的椅子前。或者她的大木箱。或者在碎石地的边缘脑袋抵在石头上。这样的话草垫子席地而铺①。没有枕头。她从脚到下巴盖着一条黑色的盖布只露出脑袋。仅此而已。傍晚和黑夜这张脸没有保护。很快眼睛。一旦它们睁开。突然它们就在那里了。而什么都没有动弹。一个足够了。瞪得大大的。瞳孔放大吝啬地点缀着浅蓝色的光环。没有情绪的痕迹。一点儿痕迹都没有。没有了目光。就像是眼皮合上再也不能看见什么东西了。另一个深入了进去。然后接着又打开。再也不能再也不。

没有过渡直接就是空无。天穹。还是晚上。当还不是深夜时就是晚上。永生不死的白天还在奄奄一息。一方面是火炭。另一方面是灰烬。没完没了地赢了又输输了又赢的赌局。未被发觉。

再看去时脑袋已经在盖布底下了。这没有任何关系。什么关系都没有。只要它真的是事实——相反的话是怎么说的呢？反正是这两者。只要真的这两者都是假如这过去的两者现

---

① 这里又有文字游戏："碎石地"和"草垫子"在法语中分别是"caillasse"和"paillasse"，词形极像。

在混淆在一起。对负担着忧郁学问的同伴来说眼睛只是特别地注意到一派混乱。这没有任何关系。什么关系都没有。只要这两者真的都是谎言。真实并且——相反的话该如何说不明呢？解毒剂。

依然生动活泼大木箱令人失望这不是吗表现为一道活板门。装配得那么巧妙即便对闭上的眼睛来说它也只能刚刚被发现。注意。把它抬起来后不可能不会很快遭到一种新的挫折。只是提前体味到它可以像某种英格兰大衣柜那样关闭起来。这样第一次有了木头的地板。地板的木纹跟活板门的木纹对齐使它几乎看不出来。这一明目张胆的伪装意图很能激励人。但是疑虑重重。顺便打听一下它是什么树木的。既然想知道就告诉你吧那是乌木的。乌木的纹路。黑的在黑的之上裙子无声地摩擦着它们。瘦骨嶙峋的椅子挺立在那里超乎寻常地苍白。

在她躺着脑袋盖在盖布底下期间一个小小的女人正逃亡在田野中。她也许已经死了这本没有什么惊人的。她现在当然就是这样。但是在等待中这并不太合适。她还活着躺在盖布底下。出于一些隐晦的理由把它盖上了她的脑袋。或者根本就没有理由。那是深夜。当不是晚上时就是深夜。冬天的深夜。没有雪。多样化的问题。一派单调无味。在冰霜的重压下松软的草奇怪地变得僵硬。被她长长的黑裙子擦伤它的喃喃声也许值得一听。没有月亮的天上布满了星体在赤裸裸的空洞深处由一片薄薄的小冰片反映出来。寂静变成了在无比遥远处的音乐而像它一样的是一声叹息。天堂的风一齐而来却从不透气。一切皆出于此。碎石地在远处微微地闪光而乡间小屋的墙第一次看出白颜色来。说是白色的。守卫们——十二个都在那里但是不再齐全。这个嘛。尤其不明白。只是要记下如同那些始终忠诚不渝者的人那样一些个和另一些个分开了。这天夜里在田野上实在是看不清楚。与此同时她活着躺在那里脑袋盖在盖布底下。察看得更仔细一点的话就会发现这是一件大衣。男式的这从纽扣上能看出来。闭上了眼睛她能看见它吗?

白颜色的墙。是时候了。白色如同最初的曙光。风缺席了。连一丝儿微风都没有。没有什么在这里会再压抑一番本已停息了的一切。神奇的是太阳宽恕了它们。往昔的大太阳。于是东面和西面的墙面经受着严厉的冲击。而南面的山墙则没有问题。但是另一个。这道门。注意。它也是黑色的?它也是。还有屋顶。板岩的瓦片。还有。小小的板岩瓦片同样是黑色的，来自一个废弃了的中世纪小城堡。负载着一段历史。在它们的历史的尽头。这就是看不清道不明的住所。从外面来看。是时候了。

　　变成了吸引着她的石头再看就没有了她。或者是她从侧面看去改变了她。她现在俯下了身子。朝后或者朝前依情景而定。她应该把这半成品的模样归功于唯一的大自然吗？或者归功于一只不得不拒绝的过于人为的手。就像拒绝了弑君者胸像的米开朗琪罗的手。不知道是不是不能再有可以回答的问题提出来。花岗岩没有一种罕见的多样化问题。呈现出一种煤玉般乌黑的碧玉布满了白花花的斑点。怎么说呢翻过来的那一面上有着漆黑的切口。数世纪的粗糙雕刻眼睛徒劳地刺激。从冬天的石板上她有时候想象看见它在远处闪亮。当最后的几线光芒从它们所在西南偏西的光源前来斜斜地照耀她那半迎展的脸面。就像唯一的那块留在田野尽头原地的石头看得不真切。带着她的花尽可能笔直地走过那段路她迟迟地滞留在那里。由此归来时双手空空。在下一阶段之前的松弛时刻。朝着一个或另一个停留地。尽可能笔直地走。

它们又在那里一个在另一个的边上。彼此不相碰。依然被最后的几线光芒斜向地照射着它们朝东北偏东投下它们那长长的平行的影子。这么说那是在傍晚。一个冬天的傍晚。将永远是傍晚。永远是傍晚。除了黑夜。冬天的黑夜。再没有羊羔。再没有鲜花。双手空空她将去看坟墓。直到不再去为止。或者不再从那里回来。决定了。两个影子彼此相像简直难以分辨。但是其中一个仿佛它的躯体更好一些更不透光似的最终在浓密度上更胜一等。在固定性上。一旦另一个在热切的目光下最终颤抖起来。在这一对抗的整个期间太阳停止了运转。这就是说地球停止了运转。它的跟斗只是在解体的时刻才又翻下去。那时依然生动的影子将慢慢地滑行在它的表面上通过田野然后通过碎石地。总是变得越来越长越来越苍白。从来不完全彻底地抹却。在飞越其头顶的眼睛之下。

一个表盘的特写镜头。没有任何别的。白色的圆盘分割为一分钟一分钟。假如还不能说分割成一秒钟一秒钟的话。六十个黑色的点。没有任何数字。只有一根针。细细的尖尖的黑黑的。它一冲一冲地前进着没有嘀嗒嘀嗒的声音。一跳就投身到下一个刻度而且跳得是那么迅疾以至于只有它的新位置表明它已变了位置。可过去整整的好几夜却好似仅仅只度过了一秒钟的几分之一或者在它匆匆地从一点到另一点之前就过去了无论什么样的间断。从来不必为了走得准确从来不在任何的时刻跳前一格。假设在它出现的那一瞬间它指着东方。于是在以它自己的方式走了一阵子后假设这表平稳地处在它最后一个钟头的最开始一刻钟。除非这是它的最后一分钟。在这种情况下那就该怀疑了——该绝望了某些个夜晚它从来没有走到最后。从来没有重新找到北方。

晚上她重新出现在窗户前。当不是深夜时就是晚上。假如她想再见到金星她就该把它打开。这个嘛。首先掀开窗帘然后再打开窗户。她低下脑袋等待着能够这样做。她也许在梦想着她能这样做得太晚的那些晚上。黑黑的深夜来临了。但是没有。在头脑中也一样是等待再没有别的了。窗帘。利用这一段暂停的时间更仔细地从近处察看了后它最终显出了自己的本来样子。一件黑色的大衣很像是被发现代替了盖布的那一件。挂在衣帽架的金属杆上脑袋朝下反面冲外恰如肉摊上的骨头架子。正面部分只能看到袖子的下部。跟扣钮钩以及其他一些东西同样不成样子地摇摆。另外没有提到的是椅子的位置紧挨着窗户旁边。是为了确保给眼睛提供一个足够的视角以便看到比位于乍看之下看不清时更高的美丽靶子。从此空间是那么空荡荡。适合于在一片昏暗中不计数的百步走。突然她一下子解开了大衣并把它封闭在跟它一样黑的天空之上。突如其来！随后！注意。坐下来？躺下来？走出去？她也在犹豫。直到最后来回踱步占了上风。蹒跚着沿南北轴线从一道墙走到另一道墙。在黑色的朋友中。

她迷路了。剩下的。已经看不清的变得朦朦胧胧或者仍然看不清的变得自行消失。脑袋背叛了靠不住的眼睛和靠不住的字词它们的背叛。唯独确切的是迷雾。田野之外的迷雾。她已经到达了田野。她还将来到碎石地。然后到达住所通过它所有的裂缝。眼睛就是闭上也无用它将只看见一片迷雾。甚至连这都看不见。连它自己都变得什么也不是而只是迷雾。怎么说它呢？在它湮没一切之前怎么迅速地胡乱地说它一通呢？光明。通过一个靠不住的字词。光明的迷雾。总之是伟大的。再也没有任何东西可看。可说。安宁。

脸上依然沐浴着最后的几丝夕阳。一点儿也没有丢弃它的苍白。它的冰凉。与地平线相切的太阳暂缓了它的坠落在这一形象的时间。

这就是说地球暂缓了它的翻滚。薄薄的嘴唇似乎永远不再应该松开。在它们的裂缝下不太显露的一点点胖嘟嘟的肉。不太可能是往日里曾施加和接受亲吻的场所。或者仅仅只是施加。或者仅仅只是接受。尤其要维持住嘴角不成样子的翘起。微笑吗？这可能吗？一个以往微笑的影子最终一劳永逸地微笑了一下。这就是在突然就离开她的最后的几丝夕阳光下隐隐约约地看不清的嘴。而不是她离开了。重新出发到黑暗中在那里永远微笑着。是的那确实是微笑。

躲开光亮再细细地察看嘴巴已经变了。无法解释地改变了。在嘴唇上没有什么变化。同样的封闭。同样不太显露的一点嘟嘟的肉。在嘴角有着同样难以察觉的无拘无束。可以说微笑永远留在那里假如那确是一种微笑的话。不多也不少。少了！然而不再是同一个。嘴巴上没有任何的改变然而微笑却已经不再是同一个了。真的那是假光。尤其是夕阳的光。这个圆圆的大肚子瓶。同样真的是一度朝向了看不见的行星的眼睛现在闭上了。朝着另一些看不见的现在却不是时候。这就是最终的解释。眼睛大睁着表现出来的这同一微笑不再是眼睛闭上时同样的微笑了。从一次细细的察看到另一次嘴巴连动都不带微微动一下的。好。但是这从什么意义上说不再是同一个了呢？这一微笑现在怎么啦？假如它是一种从来没有过的微笑？或者从来不会再有的微笑？够了。过吧。

许多个冬天之后返回。在这个晚来的没完没了的冬天。这个没完没了的冬天之心。太早。她又重新在那儿恰如她曾落下在那儿一般。那个地方。始终在或者返回的。闭上眼睛在黑暗之中。在黑暗。在属于它们的黑暗中。在嘴唇上同样的第一百万个微笑假如这是微笑的话。总之活生生的就像只有她一个人知道的那样不多也不少。少了！真正石头般的目光。也同样忧愁地处于原来的状态乍看之下反复看都看不清的地点。幸运的例外在更为昏暗的眼洞窗旁边。日光恐怕只会穿过一点点肯定还会再来。在外面则相反有好转。朝着持续的深夜。到处是石头。日光刚刚升起就落下。赶紧对付看不清道不明的一切。眼睛变了。它的尿水地图。缺席使它们改变。还不够。只消继续出发。在那里再改变。从那里太早地返回。改变得还不够。陌生得还不够。对所有看不清道不明的一切。然后还要返回。为了最终结束而应该有的还很微弱。跟她在一起的是她的天空和地点。假如还太早的话还要重新出发。还要改变。还要返回。除了障碍。啊。如此再三。一直到最终能够结束。跟这一切杂乱的废物。在持续的深夜中。到处是石头。这么说首先是出发。但是首先是再见到她。恰如她被落下在那儿一般。还有住所。在已经变了的眼睛下它也一样变了。开始吧。只是一句再见。然后重新出发。除了障碍。啊。

但是突然这一下她就不再在那里了。或者突然一下子她就被落下了。在她重新出现之前快快来把椅子。久久地。所有的角落。是哪一个唯一的词说到了它的变化？注意。更小了。啊漂亮的唯一的词。更小了。她更小了。还是同一个但是更小了。热烈的眼光从那里转到这里。真的如同闪电。就这样一个个词它们也一样。来一点点给小小的不幸这就是扼杀。更少来一些道不明的话。更小了。她最终就将不再有了。就将从来不曾有过。神圣的前景。真的如同闪电。

突然足够了留给回忆的地位。眼睛厌倦于这一效果已重新闭上或者重新睁开或者位于任何一种状态中。一切重新归来的时候。最终两件黑黑的大衣挂在那里脑袋冲下远远超过其他的。开始显露出来随后是轮廓看来是一只箱子突然之间又足够了。回忆！于是一切都在那里了比第一眼看去时要更糟。简陋的床。椅子。大箱子。活板门。只有眼睛变了。只有眼睛能让它们改变。等待之中没什么缺的。哦不。扣钮钩。钉子。不。它们又在那里了。比任何时候都更糟。没有变却更糟了。首先知道它们的只有眼睛。但首先是隔板。它被拿掉后它们也跟着被拿掉。它被缓解它们也一样被缓解。

在所有因素之中它无疑是最不固执的因素。看见那一瞬间重新看见它独自地自行取消。可说是从它自己的运动中。这跟眼睛没有任何关系。只是在很久之后才重新恢复。仿佛很违心似的。出于什么理由？出于一个唯一的寻找起来并不远的理由。出于其他的一些据说是很晦涩的理由。尤其是另外一个。另外一个寻找起来还很远。心灵的诱惑？还是头脑的？还是两者共有的地狱？从这里发出受罚者的笑声。

够了。更快些。快些看见以避免让椅子跟她的形象不协调。少那么微乎其微的一点点。不再多什么。确实启程去往不存在就像去往零去往无限。快些说出来。而她呢？也一样。快些重新找到她。在这黑暗的中心。这仿造的脑子。

纸片。颤抖的手指头尖。分为两片。四片。八片。衰老的手指头热切地动着。那已经不再是纸片了。每一零碎的八分之一片。为两片。四片。在刀子中结束。铰成细末。空洞。下一个。白色的。快些变黑。

只剩下了脸。此外在盖布底下没有任何痕迹。在细细察看期间突然一声响。做得不让动作停下却又让头脑清醒过来。怎么解释它呢？没有一直走到那儿怎么说呢？远远地在眼睛的后面探索就进行了。在事件逐渐淡化期间。无论怎样。但是在救援之下突然之间它又焕然一新了。由此可以说共同的与众不同的坍塌之名。不久后被加强或者被不寻常的萎靡削弱。一种萎靡的坍塌。两个。远离着眼睛受它折磨的一切始终有一丝希望的微光。靠着那些卑微的开端。超人的视力中是乡间小屋的废墟。同时该观察一下那张无法观察的脸。再也没有丝毫的好奇。

再后来在脸孔始终抵抗时新的坠落声传来这一次干巴巴的。同时得到加强的幻觉预示了一次总坍塌的开始。这里一次重大的跳跃将在不久的将来发生为的是不再耽搁那个小气球就瘪了。直到那个时候那个遥远的时辰大衣将不在窗户后而扣钮钩不在钉子上。叹息之声将流露出来于是仅此而已。叹息声将膨胀起来直至把一切都带走。这可爱的杂乱无章的一切。在无可奈何地注定成为这个之前。最终的叹息。轻松。

快点在那时辰之前始终有两大神秘。甚至不。惊奇。还有。只要脑袋不再在那里。将不再在那里。首先不再有窗帘却又不感觉到黑暗。要留住牲口棚的香味在门槛上。然后在再三再四的犹豫之后没有任何东西在坠落点上。再也没有这一苦难的任何痕迹。几乎没有。一方面仅剩下的只有窗帘杆。稍稍有些走形。另一方面只有极其孤零零的钉子。未变质的。好好的可以再使用。依照它那些光荣的祖先的榜样。在叫作脑壳的地方。四月份的一个下午。下降完成。

睁大的眼睛落在不断存在于不久将来的脸上。如此不断地看不清既不多也不少。更少！跟它的石膏连接在一起它无可争议地看见了。哪怕这仅仅只是它的白色所拥有的未完成的东西。在真正矿物的目光下难以觉察的颤抖。出于勇敢的动机眼皮固执地闭上。无疑在这一姿势中有一个记录。至少是还没有看见过的。突然的目光。然而什么都没有变。目光？这根本不值得一说。太难受了。它的缺席？倒也不是。无法表达的环球。无法承担的。

时间很宽裕然而只有两三秒足以让虹膜彻底地消失仿佛被眼皮吞吃了。而说不上发白的巩膜眼见得缩小了一半。这至少已经缺了点什么但是付出了何等的代价。除非出现意外可以预见不久的将来两个黑黑的深坑这些厕所作为灵魂的所有眼睛。眼洞窗又在这里出现从此变得无用地模糊。看到黑黑的夜或者干脆仅仅是半透明的它们所流露出来的黑暗。真正的黑暗到最后就再也没有什么可看了。

缺少好中之好然而。于是明明白白重新出发这一次是永远而归来没有痕迹。在表面。幻觉。假如依然不幸的话就重新出发依然是永远。如此再三。直到没有痕迹。在表面。而不是在原地追逐①。追逐这一个或那一个痕迹。还必须能够如此。能够追逐痕迹。幻觉。快一点来几次突然说是的向任何的偶然告别。至少

---

① 这里又有文字游戏，"表面"（surface）和"原地"（sur place）在法语中字形相似，发音也相似。

向脸孔。她的痕迹真顽固。

  决定得不是更早或者说比较起来要更晚怎么说呢？最后一次怎么最终说得不明不白呢？取消。不是但很缓慢当窗帘拉上的时候如此的最后一抹夕阳便消散了一点点很少一点点。别了别了。然后漆黑一团丧钟预奏轻轻敲响好听的声音恰好是到达的出发那一秒。最早和最后的那一秒。只要还留着的足够的可以吞噬一切。一秒接着一秒地贪吃。天空大地以及其他等等。任何地方都再也没有一片腐尸。舔舔嘴唇就够了。不。还有一秒钟。只消一秒钟。呼吸这一空无的时间。认识幸福。

枯萎的想象力想象吧

余中先 译

哪里都没有生命的迹象，你说的，啪，好漂亮的活儿，还未枯萎的想象力，不，枯萎了，那好吧，枯萎的想象力你就想象吧。岛屿，水面，苍天，绿地，给我盯住了，噗，说变就变，一段永恒，别出声。直到一片洁白中的白色圆亭。没有入口，进来吧，衡量吧。直径 80 厘米，离地面和穹顶距离相等。互为直角的两条直径 AB 和 CD 把白色地面分为 ACB 和 BDA 两个半圆。地上有两个肉体，分别在各自的半圆中。穹顶是白色的，支撑着穹顶的高达 40 厘米的圆墙也是白色的。出来吧，一个没有装饰的圆亭，在白色中显得一片洁白，回来吧，敲门吧，到处都盈满，在想象之中它发出的声响就像骨头在响。在一种让任何表面都变得那么白的光线中，一切都闪耀着一种相同的白光，地面，墙面，穹顶，肉体，阴影点。酷烈的炎热，各个表面摸起来都那么热，当然还不至于发烫，出汗的肉体。再出来吧，后退吧，它消失了，飞翔吧，它消失了，白色之中的一片洁白，下落吧，回来吧。空无，寂静，炎热，洁白，等一等，光线减弱了，一切相应暗淡下来，地面，墙面，穹顶，肉体，大约二十秒，全都发灰，光线熄灭，一切消失。同时温度下降，达到最低，就在黑暗形成的那一刻，到了大约零度，这可能显得很怪。等一等，一段相当长的时间后，光和热又返回了，地面、墙面、穹顶和肉体都相应地变白变热，大约二十秒，全都发灰，都达到了它们以前的水平，由此下降开始发生。相当长的时间后，因为经验证明了，会有一段很不相同的持续时间，出现在下降结束和上升开始之间，短到不到一秒钟，长到在别的时间和地点可能显得会是一段永恒。同样的现象也发生在另一段间歇中，在上升结束和下降开始之间。两个顶端只要始终存在，稳定就是完美的，尽管在一开始时所标记的温度可能显得很怪。经验证明，有时还会发生这样的情况，下降和上升停止了，停止在任何一个水平上，表现出一段相当长的停顿期，然后运动恢复，或者互相转化，下降变为上升，上升变为下降，由此，它们可以轮流着或者一直到头，或者先停下来然后再继续，或者在一段相当长的时间后，重新朝反方向转化，以此类推，直到达到一个或另一个顶端。通过在无数节奏中交替进行的上升与下降，到达如此的高点和低点，一种过渡就自然产生了，从白到黑，从热到冷，然后反方向。只有顶端是稳定不变的，就像在中间水平的间歇中表现出的搏动所强调的那样，而无论它们的持续时间和到达高度如何。于是，地面，墙面，穹顶和肉体颤动起来，灰白或者烟雾，或者两者之间。但是，经验证明，过渡现象很少这样发生。常见的是，当光线开始减弱时，温度也随之减弱了，运动继续着，达到彻底的漆黑，达到零度左右，两者在大约二十秒钟之后几乎同时达到。在相反的运动中，走向炎热和白色时，情况也一样。上升或下降发生在频繁的次序中，同时伴随有在那些狂热的灰色中的相当长的休止时间，而运动在任何时刻都不是反着来的。然而，平衡一旦被打破，在上的运动如同在下的运动，向下一阶段的过渡总是无限多样化的。但是，不管会发生什么偶然情况，向着临时安定的迟早返回似乎是确定的，返回黑暗中或巨大的白色中，带着相关的温度，经得起不间断激变考验的世界。在完美荒漠中的何等缺席之后，奇迹般地又重新发现，从这一点来看已经不完全是原样了，但又不是别的。在外界，一切都没有改变，一种定位的小小结构总是那么侥幸，它的白色融化在周围环境中。但是，进来吧，这是更为简短的安宁，从来没有两次相同的嘈杂。光和热联系在一起，仿佛出自一个相同的、唯一的、永不留下任何痕迹的源泉。始终待在地上，折成三截，脑袋靠着墙 B 点，屁股靠着墙 A 点，双膝靠着墙 B 和 C 之间的一点，脚靠着墙 C 和 A 之间的一点。就是说，内接于半圆 ACB，长长的头发跟地面混在一起，一种不确切的白色，总之，这是一个女人的白色肉体。另一个半圆中也有同样内容，脑袋靠着墙 A 点，屁股靠着 B 点，双膝靠着 A 和 D 之间，脚靠着 D 和 B 之间，同样的白色，跟地面混在一起，那同伴。两个人都朝右侧卧，背靠背，头冲脚，脚冲头。把一面镜子放到嘴唇边吧，它会蒙上水汽。每个人都用左手抱定自己稍稍位于膝盖之下的左腿，而右手则抱定稍稍位于胳膊肘之上的左胳膊。在这动摇的光线中，在变得如此稀罕和简短的巨大的白色安宁中，审察有些别扭。尽管有镜子，它们还是被认为死气沉沉，除了左眼，经过长得无法计算的间歇之后，突然地大睁，圆瞪，远远地超越了人类能做到的程度。敏锐的浅蓝色，在一开始，其效果十分抓人。两道目光从来不在一起，只有唯一一次，十来秒钟，一道目光的开始跟另一道目光的结束有所重叠。两个肉体既不胖也不瘦,既不大也不小,显现出其完整和相当良好的状态,反正从表面各部分看上去是如此。面孔也一样,两个斜面差不多一模一样,似乎什么基本东西都不缺少。乍一看来,在他们绝对的纹丝不动和无羁的光线之间,反差似乎很惊人,不禁令人回想起曾经对相反的情况十分敏感。然而,从想象起来未免太长的千百个细小迹象来看,他们显然没有睡着。在这一寂静中,请仅仅发出一声:啊。在这同一时刻,对贪婪的眼睛来说,残缺的颤抖立即被止住。让他们留在那里吧,大汗淋漓而又冷如冰雪,别的地方有更好的。但是,不,生命终结了,不,别的地方什么都没有,根本不可能再找到消失在白色之中的这一洁白的点,看看他们在这一场风暴或者另一场更糟糕的风暴的中心,或者在严丝合缝的漆黑一团中,或者在永恒不变的巨大白色中是不是稳如磐石,不然的话,看看他们会做什么。

1965 年

兵

余中先 译

一切都清楚一切都洁白赤裸的白色肉体一米双腿贴着如同缝上了。光线热度白色的地面从没见到的一平方米。白色的墙两米中的一米白色的天花板从没见到的一平方米。固定的赤裸的白色肉体仅仅只有眼睛。痕迹杂乱浅灰色几乎是白色落在白色之上。手被绑住展开手心表面白色的脚脚跟并拢成直角。光线热度白色的面闪着光。固定的赤裸的白色肉体噢嗨固定在别处。痕迹杂乱没有意义的符号浅灰色几乎发白。看不见的固定的赤裸的白色肉体白上靠白。仅仅只有眼睛浅蓝色几乎发白。脑袋瓜高高在上眼睛浅蓝色几乎发白直视前方里头寂静。只有简短的喃喃声若有似无一切都清楚。痕迹杂乱没有意义的符号浅灰色几乎白上靠白。双腿贴着如同缝上了脚跟并拢成直角。未完成的给出的唯一痕迹黑色的浅灰色几乎白上靠白。光线热度白色的发光的墙两米中的一米。固定的赤裸的白色肉体一米噢嗨固定在别处。痕迹杂乱没有意义的符号浅灰色几乎发白。看不见的白色的脚脚跟并拢成直角。只有未完成的给出的眼睛蓝色浅蓝几乎发白。只有若有似无的喃喃声一秒钟或许一声都没有。勉强给出玫瑰色固定的赤裸的白色肉体一米看不见的白上靠白。光线热度若有似无的喃喃声始终是同一些全都很清楚。看不见的白色的手被绑住展开手心表面。固定的赤裸的白色肉体一米噢嗨固定在别处。只有眼睛勉强浅蓝色几乎发白固定表面。几乎若有似无的喃喃声一秒钟或许一个出路。脑袋瓜高高在上眼睛浅蓝色几乎发白乒喃喃乓寂静。嘴如同被缝上看不见的白线。乒也许一种本性一秒钟若有似无记忆中的若有似无。白色的墙每一个都有其痕迹杂乱没有意义的符号浅灰色几乎发白。光线热度一切都清楚一切都洁白各个面看不见的相遇。乒勉强的喃喃声若有似无一秒钟或许有个意义记忆中的若有似无。看不见的白色的脚脚跟并拢成直角噢嗨别处没有声音。手被绑住展开手心表面双腿贴着如同缝上了。脑袋瓜高高在上眼睛浅蓝色几乎发白直视前方里头寂静。噢嗨别处每时每刻毫无疑问。只有眼睛未完成给出蓝色的洞浅蓝色几乎发白唯一的颜色固定表面。一切都清楚一切都洁白白色的表面闪着光乒勉强的喃喃声若有似无一秒钟恒星时间记忆中的若有似无。固定的赤裸的白色肉体一米噢嗨固定在别处白上靠白看不见的心无声的喘息。只有眼睛给出蓝色浅蓝几乎发白固定表面唯一的颜色唯一未完成的。各个表面看不见的相遇只有一个表面闪着光无限的白光毫无疑问。鼻子耳朵白色的洞嘴巴白线如同缝上了看不见了。乒勉强的喃喃声若有似无一秒钟始终是同一些全都清楚。勉强给出玫瑰色看不见的固定的赤裸的白色肉体一切都清楚在内在外。乒也许一种本性一秒钟同时带着形象在风中稍稍不那么发蓝发白。白色的天花板闪着光从没见过的一平方米乒也许通过那里有一个出口一秒钟乒寂静。未完成的唯一痕迹黑色的给出灰色的杂乱没有意义的符号浅灰色几乎发白始终是同一些。乒也许不是独自的一秒钟带着始终相同的形象同时又稍逊一点记忆中的若有似无乒寂静。勉强落下玫瑰色完成的白色手指甲。落下的白色的看不见的完成的长头发,看不见的伤疤跟以前稍显玫瑰色的受伤的肌肤同样白。乒勉强的形象若有似无一秒钟恒星时间在风中发蓝发白。脑袋瓜高高在上鼻子耳朵白色的洞嘴巴白线如同缝上了看不见了完成了。只有眼睛给出蓝色固定表面浅蓝色几乎发白唯一的颜色唯一未完成的。光线热度闪着光的白色表面唯一闪着无限的白光毫无疑问。乒勉强一种本性若有似无一秒钟带着形象同时又稍逊一点始终是同一个在风中发蓝发白。痕迹杂乱浅灰色眼睛洞洞浅蓝色几乎发白固定表面乒也许勉强有一种意义若有似无乒寂静。赤裸的白色一米固定噢嗨固定在别处没有声音双腿贴着如同缝上了脚跟并拢成直角手被绑住展开手心表面。脑袋瓜高高在上眼睛洞洞浅蓝色几乎发白固定表面里面寂静噢嗨在别处那里每时每刻毫无疑问。乒也许不是独自的一秒钟带着形象同时又稍逊一点黑白分明的半闭的眼睛长长的睫毛在恳请什么记忆中的若有似无。远处闪电般短暂的时间完成的一片洁白以往的一切快如闪电噢嗨闪着光的白色的墙没有痕迹眼睛最后的颜色噢嗨完成的白色。噢嗨固定最后的在别处双腿贴着如同缝上了脚跟并拢成直角手被绑住展开手心表面脑袋瓜高高在上眼睛白色的看不见了固定表面完成了。勉强给出玫瑰色一米赤裸的白看不见一切都清楚在内在外完成了。白色的天花板从没见过乒以往也许勉强有一种意义一种本性一秒钟若有似无在风中发蓝发白记忆中的再也没有。白色的表面没有痕迹只有一面闪着无限的白光毫无疑问。光线热度一切都清楚一切都洁白心的无声喘息。脑袋瓜高高在上白色的眼睛固定表面老的乒最后的喃喃声也许不是独自的一秒钟黯淡的眼睛半闭着黑白分明长长的睫毛在恳请乒寂静噢嗨完成。

1966 年

无所谓的文本

邹 琰 译

一

突然,不,努力以后,努力以后,我再也受不了了,我也不能继续了。有人说,您不能待在那儿。我不能待在那儿,我也不能继续。我要描述一下这个地方,这没什么要紧。这个顶峰,很平坦,在一座山上,不,在一个山岗,不过很荒凉,很荒凉,足够了。淤泥,及膝的欧石楠,难以察觉的羊肠小道,地上深深的裸露。我就躺在一个裸露的凹洞里,避风。没有雾的话有美丽的全景,但雾把一切都遮掩了,山谷、湖泊、平原、大海。怎么继续?本来就不应该开始,不,还是应该开始。有人说,也许是同一个人,为什么您来了?我本可以待在我的角落里,暖和,干燥,有庇护,但我不能了。我的角落我要描述一下,不,我不能。很简单,我再也不能干任何事了,大家这么说。我对躯体说,快,站起来,于是我感到躯体在使劲,想服从,就像一匹老马倒在街上,我感到它再也使不出劲,再使劲,之后放弃。我对头脑说,别去烦它,保持平静,它停止喘气,之后它更加上气不接下气。我已远离这一连串的事情了,我不应该去操心,我一无所求,不管是走得更远,还是待在我目前的位置,对我真的都无关紧要。我应该放下,放下躯体,放下头脑,听任它们去安顿自己,听任它们停止,我不能,该我自己停止。啊是的,据说我们不止一个,全都是聋子,甚至不,联合起来为了生活。另一个说,或者是同一个,或者是第一个,他们全都有同一个声音,全都是同样的想法,您只要待在您的家里。在我家。他们想让我回家。我的住所。如果没有雾,眼力也好,还有望远镜的话,我从这里能看到我的住所。这不是单纯的劳累,尽管爬了山,我不是单纯的劳累。这也不是因为我想待在这儿。我听过,我肯定听说过那儿的视野,那边压出花纹的铅一样的大海深处,常常被歌唱的所谓金色平原,缪斯出没的山谷,冰川上的湖泊,都市的烟火,他们口中只有这些。说到底,这些人是谁?难道他们跟随过我,走在我前面,陪伴过我?我在被多少个世纪恶劣天气挖凿出来的洞穴中,趴在褐色的地面上,那儿淤滞成一片橘黄色的水,慢慢地被吸干。他们在那上面,四周,就像在坟墓。我不能抬起眼睛看他们,真遗憾。我看不到他们的面孔。看到的也许是腿,没在欧石楠丛里。他们看到我了吗,他们能从我身上看到什么呢?也许已经没有人了,也许他们已经走了,灰心丧气了。我听着,听到的总是相同的想法,我的意思是总是同样的,很奇怪。真想不到在山谷里阳光灿烂,沿着斜坡却是狂乱的天空。我在这里多久了?什么问题啊,我经常这么问自己。我也经常会回答,一个小时,一个月,一年,一百年,根据我透过这里,透过我自己,透过存在所领会到的,而我绝不会去那里寻找一些离奇的东西,在那里我从没变化,差不多只有这儿像要变化。要么我就说,在这儿应该没多久,我支持不住。我听见杓鹬,这意味着白天降临,意味着夜晚降临,因为杓鹬就像这样,沉默了一个下午之后,在夜晚临近时鸣叫。像这样,对野生物和相对于我来说短促的生命来说,就像这样。至于另一个问题,为什么来,我也很熟悉,它没有答案,以至我回答,为了改变,或者说,这不是因为我,或者说,这是偶然,或者说,为了见识,最后,在火热的年岁里或者会说,这是命运,我感到她来了,她来了,她不会出其不意抓住我。一切都是喧嚣,黑色饱和的泥淖大概还在吸收,巨大的蕨波浪般起伏,欧石楠长在风被吞没的静静的深渊里,我的生命和有关的老生常谈,为了见识,为了改变,不,这已经见识过了,全都见识过了，看得眼屎都出来了，也没有因为没有庇护所而痛苦，痛苦是造成的，痛苦过去已经造成了。有一天我出了门，踱着步子，听任双脚迈动，双腿就把我带到这里来了，这就是为什么我来了。我现在做的，主要的，我一边呼吸，一边用如烟雾构成的词语，心想，我不能停留，我不能离开，那我们看看后续吧。至于感觉呢？我的上帝，我不能抱怨，这正是它，但是悄悄地，就像在雪下，不那么热，不那么困，我追随它们，所有的声音，所有的声部，比较好，寒冷攫住了我，潮湿也是，最终我料想，我走远了。不管怎样，我的风湿病，我都不再去考虑，它折磨我不会比当初折磨我母亲时更厉害。耐心专注的眼，秃鹰令人恐慌不安的凸出的眼，忠诚的眼，这是它的时间，这也许是它的时间。我在那高处，我在这里，我看到自己就是如此，仰面朝天躺着，闭着眼，风门一样的耳朵靠着泥炭，一点点地吞吸，我们说好了，全都说好了，说到底，一直以来，我们彼此相爱，我们彼此抱怨，可这下，我们再也不能做任何事了。肯定的是，一小时之后就会太迟了，半小时后就会天黑了，恐怕还不到，不肯定的是，那么怎么啦，有什么是不肯定，绝对肯定，那是黑夜阻止了白天允许的一切，对那些知道做的，那些想做的和那些能做的，那些还能再尝试的。雾会散去，我知道这一点，即使心不在焉也徒劳无益，风会变凉，夜会来临，在山上将是整个夜晚的天空，和它的照明灯，其中给我做向导的大熊星座小熊星座，又一次，会给我的脚步当向导，我们就等待着夜晚吧。一切都被弄乱了，时间搞乱了，一开始我只是在这儿，现在我还是在这儿，一会儿我就不在这儿了，在半坡上使劲，要么就在森林边上的蕨丛中，那是一些落叶松，我不试图理解，我也绝不会再试图去理解，人家这么说，此刻我在那里，一直以来，永远，我不会再害怕夸大的字眼，这些字眼不夸大。我不记得来过，我绝不能离开，我全部的小世界，我闭着眼，感到我的脸贴着潮湿不平的腐殖土，我的帽子掉了，它掉得不远或是风把它卷得远远的，我曾很珍惜它。一会儿这是海，一会儿是山，这过去是森林，城市，也是平原，我也尝试过平原，我在各个角落里都放任自己，因为以为自己死了，饥饿而死，衰老而死，被杀，被淹，还有没有原因，经常没有原因，厌倦了，恢复精力了，最后一声叹息，还有在房间里，我美妙的死亡，在床上，在我家老态龙钟，总是嘟嘟哝哝，同样的字眼，同样的故事，同样的问题和回答，老好人，够了，在我的无知人的世界的极端，从没一句诅咒，没那么蠢，要么是我忘了。是的，一直到底，用低低的声音，抚慰着我，陪伴着我，总是专注，专注于那些老故事，就像我父亲，把我抱在他膝头，给我讲乔·布朗或者是布兰，一个守航标灯人的儿子的故事，一晚接一晚，整个漫长的冬天。那是个故事，一个给孩子的故事，发生在一个悬崖峭壁上，在暴风雨天，母亲死了，海鸥飞来压在航标灯上，乔跳进水里，这就是我现在记得的一切，口中咬着一把刀，干了必要的事又回来，这就是我今晚记得的全部，这结局很好，这开头很坏，但结局很好，每个晚上，一个喜剧，给孩子们的。是的，我曾是我父亲，我曾是我儿子，我问自己问题，尽我所能回答，我叫自己重复，一晚接一晚，同一个故事，我已经牢牢记住却无法相信，或者我们迈步，手牵手，一言不发，沉浸在我们的世界，每人都沉浸在自己的世界里，忘了手，一个手放在另一个手里。就是如此，我坚持了，直到现在的时刻。还有今晚看起来要走了，我抱着自己，我自己抱着自己，没有太多的温情，但忠诚，忠诚。我们睡吧，就像在那盏遥远的灯下，我们被搅乱了，已经说了那么多，听了那么多，干了那么多，玩了那么多。

二

那高处是光，是些元素，一种光，亮得足够看得见，活的人没有太大困难，行走，闪避，聚合，避开障碍，没有太大困难，用眼找寻，闭上眼，被打断，不停下，在元素之中，这些活的人。除非这已经改变，除非这已经停止。事物应该还在那儿，稍微有点磨损，还变小了一点，很多东西还在相同的位置，时间与它们无关。这儿是另一个碉堡，很快也不能住了，必须离开这儿。人们在那儿，无论他们在哪儿，都是无法居住的，就这样。那么离开吧，不，还是留下。因为离开去哪儿呢，既然人已被钉住了？回到那高处？仍然是一样。在这种光下。又看到悬崖，还在海与悬崖之间，四处窜，头垂到肩，手贴着耳，很快，无知，暧昧，有害。在夜极端的光下，寻找一种和供给相当的需求，而后躲藏，一无所获，天亮了，新的一天了。又见到卡尔维夫人，她在道路清洁工经过之前，把垃圾撒出来。卡尔维夫人。她应该还在那儿。和她的狗和她光秃秃的四轮马车。有什么更能忍受的。她低声地自言自语,她咕咕哝哝,我的主宰,我的王子。她提着个三叉戟样的东西。狗用后腿直立着,扒住垃圾桶边缘,和她一样在那里面刺探着。它妨碍了她,她任由它去干,一边说,脏畜生。这是个美好的记忆。卡尔维夫人。她知道她要什么,也许还有她可能会要什么。美丽,力量,聪明,光线,每天,行动,诗歌,选择权,为所有人。但愿有办法再也不知道这点。在这可怜的亮光下忍受折磨,多大的错误啊。它显示不出任何东西,可怕的东西,真正的事件,什么在其中也显示不出来,它会因此熄灭。此时此地,此时此地,一个巨大的瞬间,就像在天堂,思想迟钝,迟钝,几乎停顿。然而这还是变了,有事情变了,应该是在头脑里,在头脑里玩具慢慢地起皱,那么多次在头脑里,天黑得就像在头脑里,在诗句出现在头脑里之前。象牙的地牢。词语也如此,迟钝,迟钝,主语在到达动词之前正在死去,词语也停顿了。所以比饶舌的时间好?就是这样,就是这样,好的方面。其他人事的缺乏呢,这没关系吗?哦,其他人事,不存在其他人事,这从来没有妨碍过任何人。再说应该有,其他的人事,看不到,默不作声,这没关系。不过人们还是装作不知道,铲平他们的墙,是的,这儿很缺乏，缺乏解闷的事，这儿是痛苦，哦，据说那高处，活的芥子泥。只要出现词语就不会有什么改变，如今还是老的松懈下来的词语。说话，只有这个，说话，倒空自己，这儿就像一直以来，只有这个。但是它们干涸了，是的，这改变了一切，它们变坏了，糟糕了，糟糕了。或者这是害怕到了最后，害怕已经算了账，在结束之前，不，因为那才是结束，总账，不肯定。要呻吟，没能力，哎哟，最好还是克制自己，警惕那美好的临终，那是骗人的，人们以为到那时刻了，开始嘶喊，又活过来，嘶喊有益健康，不如沉默，这是唯一的方法，要是人想完蛋，一声不吭，带着克制的咒骂噼里啪啦地完蛋，沉默地断气，这一切都是可能的结局。这不是死亡，不是坟墓，远不是，这不可能是坟墓，那太强烈了。那高处可能是夏天，可能是星期天，一个夏天的星期天。约利先生在钟楼里，他已经重新装好钟，现在他在敲钟。约利先生。他只有一条半腿。星期天。不该出去。马路黑压压的人，马路经常很友好。这儿至少这些都没有，没有创造者，特点是含混不清。干燥，有可能，或者是液态的，或者是布满泥沙的，就像有生命之前一样。也许是空气，有了空气人还是透不过气来，几乎很高了，这有可能，一种空气。到底发生了什么事,到底,啊,黄嘌呤般衰老的笑声,仍然如此,不,很好的摆脱麻烦,这从来不好笑。不,但是最后一个记忆,最后一个,可能有帮助,还是搁浅了。皮尔,在平原上赶牛,不,因为在犁沟尽头,转弯之前,他抬起眼,看着天空说,好天气结束了。确实,一会儿之后,下雪。可以说夜黑漆漆的,最终来临了,哦不,尽管天空被湮没了。通往躲避处的路是漫长的,穿过田野,弯曲不平,他应该还在那儿。到了悬崖边他一纵,就像疯了,但不,狡黠地,就像一头山羊,投向通往沙滩的突兀的小路。海从没在这么远轰鸣,雪下的海,尽管最高级的形容词再也没什么魅力。这日子没什么收获,理所当然,季节的缘故,这最后几个洋葱的日子。这仍然是一种回归,没什么重要,回归,平安地,人们从来没有从那儿回来过。发生了什么?一次碰面?砰!?不。在格拉夫兄弟的农庄里,突然的停顿,对着被照亮的窗户。一丝微光,红红的,远远的,夜晚,冬天,这是痛苦,这应该是痛苦。就这样。这完成了,这在那儿结束了,我在那儿结束了。一丝遥远的记忆,远离最后的记忆,这是可能的,人们似乎还很健朗。遗憾的是希望死去了。不。因为人们在那高处希望着,偶尔地。各种各样的希望。

三

你放下，我正要说你放下这一切。不管是谁在说话，有人说不管是谁在说话。就要出发，我将是其中的一个，不会是我，我会在这儿，我觉得远了，不会是我，我什么都不会说，就要有一个故事，有人正要试着讲一个故事。是的，见鬼的揭穿谎言，一切都是虚假的，没有人，这是说好的，没有东西，见鬼的句子，我们上当了，上了时间的当，所有的时间的当，期待着这过去，期待着这一切过去，这声音沉默，这只是些声音，只是些谎言。这儿，从这儿出发去别的地方，要么待在这儿，但是来来往往。你首先挪动挪动，需要一个躯体，像以前一样，我不说不，我再也不会说不，我感到一个躯体，一个躯体在挪动，向前，向后，上升下降，根据需要。伴随着一堆肢体和器官，再次用来生活的东西，用来支撑的东西，一小会儿，我会把这称为生活，我会说这是我，我会站起来，我不再考虑，我会过于忙碌，忙着站住，忙着让我站起来，换个位置，坚持到底，直到第二天，到下个星期，这就够了，一星期就够了，春天的一星期，这是富有生气的。只要希望就够了，我要希望，希望自己有个躯体，希望自己有个头脑，一点力量，一点勇气，我马上要开始，一星期很快就熬过了，之后是回归，这个无法摆脱的地方，远离白天，白天很远，这不会孤单单地进行。那为什么，总之，不不，你放下吧，不要重新开始，不要听到一切，不要说出一切，一切都是衰老，一切都是一样的，这是决定了的。你这下站起来了，是我说的这个，我发誓，叫你的手行走起来，拍拍你的头顶，这才是智力，没什么不是，之后接下来，下面的部分，必须这些部分，你说说你怎么样了，大概地说一说，哪种男人，需要一个男人，或者一个女人，试着看看两腿之间，不需要美丽，也不要精力，一星期这很快就熬过了，人家不会爱上你，你不要怕。不，不是像这样，这太快了，我已经吓着自己。然后，为了开始，停止气喘吁吁，人家不会杀你，啊不，人家不会爱你不会杀你，你可以到戈壁滩上，你在那儿会觉得像在家里。我在这儿等你，很平静，对你很平静，不，我是一个人，一个人我是，是我要离开，这一次是我。我知道我要怎么做，我要做个男人，必须这样，一个男人，老孩子，我会有一个女主人,她会很爱我,她把手递给我,带我过马路,在公园把我放开,我会举止文雅,我会在一个角落里,梳理我的胡子,我把它捋光滑,让它更漂亮,稍微更漂亮一些,如果可以出现这样的事的话。她会对我说,过来,我的耶稣,是时候回去了。我不要负责,她会负全责,她叫南妮,我会叫她南妮,如果事情可以这样发生的话。过来我的小兔子,现在是吃奶的时候了。是谁教会我知道这一切,是我自己一个人,在我还在流浪的时候,我已经推导了一切,根据自然,在万物一体的帮助下,我很清楚不是这样的,但是太迟了,否认已经太迟了,知道的东西已经在那儿,它们一个接一个地发着光,或远或近,在深渊上闪着,形成同谋。放下吧,必须离开了,不管怎么样都得这么说,是时候了,不知道为什么。能做什么,觉得是在这儿还是在那儿,固定还是可以移动,没有形状还是像人一样高大,没有光线还是在天空的亮光下,我不知道,这是虚妄的计算,这不会单独出现。如果我在一切都已熄灭的地方重新开始,不,这什么都不会产生,这从来没有产生过什么东西,记忆也已经熄灭,一束猛烈的火光之后是漆黑,一阵巨大的痉挛之后就再也没有重量也没有可以穿越的空间,我不知道。我试过叫人把我从悬崖上推下去，推到路上人群中，这什么都没有产生，我放弃了。重走把我抛到这儿的道路，在开始之前走向相反的方向，或者走得更远，很明智的建议。这是为了让我再也不移动，为了让我在这儿絮絮叨叨一直到时间的终结，同时低声地说，整整十个世纪，这不是我，这不是真的，这不是我，我在很远的地方。不不，我要谈谈将来，我要对未来说话，就像在夜里，我对自己说，明天我要戴一条蓝色的领带，有小星星，我戴着它，夜就过去了。快点快点，在流泪之前。我会有个朋友，和我同届，一个地区，一个上年纪的新兵，我们会比着自己身上的伤痕重历我们的战役。快点快点。他已经在海军服过役，也许是在杰里科将军手下，而我那时在吉尼斯的马车后面狙击入侵者，用我的火枪。如今，我们什么都没有了，就是如此，很长时间再也没有了，这是我们最后的冬天，哈利路亚。人们想是什么要把我们带到结局。他因为肺病而离开，我更像是因为前列腺。偶尔，我们互相羡慕，他羡慕我，我羡慕他。我独自给自己插导尿管，用一只颤抖的手，站在小便池，弯着腰，躲在我的斗篷下，别人把我当成了一个又老又脏的人。在这个时候他在一条长凳上等我，因为一阵阵咳嗽而摇晃着，把痰吐在一个烟盒里，烟盒一满他就倒到运河里，出于公民的爱国心。我们已经为国家好好做了贡献，国家最终会把我们收容的。我们过着我们的生活，生活属于我们，就是想叫人让我们在同一时间拥有一束阳光和一条不用付钱的长凳，在一个公共绿洲，我们已经开始爱起大自然来，在晚年，它浑然一体地属于每个人，在某些地方。他低声给我读着前一天的报纸，艰难地喘着气，他最好是瞎子。赛马最让我们激动，赛猎兔狗也是，我们没有政治观点，我们是软弱的共和党人。但我们也对温莎家族感兴趣，对汉诺威家族感兴趣，我记不得了，也许是霍亨索伦王室。一旦吸收了赛马和犬牙的消息，那些人性的东西我们很不陌生。不，一个人，一个人我会更舒服，这会过得更快。他愿意给我吃的，他认识一个卖肉的，他可能想用点猪牛肉香肠叫我把灵魂咽到喉咙里去。他的安慰、对癌症的暗示、对永恒的乐趣的提醒，也许在阻止人对搬走石头不要泄气。而我呢，不是整个地陷在我自己的眼界，那些也许可以让我把这些扔到一个卡车下的东西，我任由它们来让自己得到消遣。我对他说，得了，我的伙计，把这一切都放下吧，别再想了，我就不再想了，被博爱弄蠢了。至于义务，我想的更多的是早晨十点的约会，无论什么天气，在杜冈公司门前，那儿已经很活跃了,跑来的运动员把他们的赌注放在安全的地方,酒店还没开门。我们也在了,这下结束了,更好,更好,很准时,我得说明这一点。看见樊尚的骸骨在雨的抽打下到达,老海豹般高兴地不由自主地摇摆着,头上罩着一块血红的抹布,眼睛炯炯有神,对那些看得清楚的人来说,这是有能力的人的典范,渴望享乐。一只手捧着他的胸骨,另一只手的背上是脊柱,不,这一切全是记忆,在洪水之前的遁词。看见这儿发生的事情,没有人,没有发生任何事,装作这儿发生了什么事情,装作有人,在这儿结束,安静下来,在安静中走开,或者在另一种声音中走开,和生死不同的声音,生命和死亡都不愿成为我的亲人,在我的故事中走开,为了能够从中脱身,不,这一切都是废话。也许最终我会长出一个属于我的头,在那儿炖些配得上我的毒药,还有用来跺脚的腿,我最终会在那儿,我可以离开了,这就是我所要求的,不,我什么都不能要求。只有头和两条腿,或者只有一条,在中间,我会跳着离开。或者只有头,很圆,很光滑,不需要轮廓,我可以滚动,我会上坡,几乎一个单纯的思想,不,这不行,从这儿开始一切都要重新上去,需要一条腿,或者相当于腿的东西,也许是圆圈,可以收缩的,有了这个可以走得远。从杜冈公司门前离开,在一个下雨出太阳的春天的早上,不肯定能够坚持到晚上,那有什么不行的呢?这太简单了。躲在这个肉体里或那个肉体里,在一只友好的手握住的这个胳膊里,和在这个手里,没有胳膊,没有手,和在这些颤抖的灵魂中没有灵魂,在人群中,在铁环中,在球中,那有什么不行的呢?我不知道,我现在在这儿,这是我所知道的一切,这并不总是我,必须利用这些解决。任何地方都没有肉体,也没有可以死亡的东西。把这一切放下吧,想放下这一切,不知道这意味着什么,这一切,这很快就说了,很快就做了,徒劳无益,说明都没挪动,没有人说话。这儿,这儿不会发生任何事,这儿不会有人,很快。离开,故事,这并不是要到明天。声音,从它们来的地方,确实消逝了。

四

　　如果我可以去，我会去哪儿，如果我可以存在，我会是什么，如果我有一个声音，我会说什么，谁在这么说，自称是我？你们简单回答吧，但愿有个人简单回答一下。总是同一个陌生人，我只为了这个人存在，在我的不存在的空洞中，在他的不存在的空洞中，在我们的不存在的空洞中，这就是一个简单的回答。这不是因为觉得他会找到我，但他能够做什么，活着而且困惑着，是的，活着，尽管他这么说。忘记我，不知道我，是的，这可能是最明智的，他懂得这一点。在那样的抛弃之后为什么会突然亲切，这是容易理解的，他这么想，但是他不理解。我不在他的头脑中，不在他垂老的身体的任何一处，但是我在那儿，为了他我在那儿，和他一起，因此有了那么多的混淆。发现我不在，这对他来说应该就够了，但是不，他要我在，有一个形状和一个世界，像他一样，尽管他不想，我就是一切，就像他什么都不是。当他感到我没有存在时，他要我剥夺他的存在，反过来，疯了，疯了，他疯了。事实上他找我是为了杀我，为了我像他一样死去，像活人一样死了。这一切他知道，但知道这一点，这不起任何作用，我不知道这一点，我什么都不知道。他禁止自己推论，但他就只是推论，错误地推论，好像这能够有帮助。他以为结结巴巴地说话，他在结结巴巴地说话的时候以为抓住了我的沉默，因为我的沉默而不出声，他希望这是因为我让他结巴，当然他说话结巴。他每五分钟讲他的故事，同时说这不是他的故事，你们要承认这是狡猾。他希望这是因为我阻止了他有一个故事，当然他没有故事，难道这就是想强加给我一个故事的原因？他就是这样推论，比较，同意，但和什么比较，就是必须看清楚的。他叫我说话同时说这不是我，你们要承认这很厉害，他叫我说这不是我，我呢就什么也不说。这一切真的很粗俗。但愿他颁布第三个人给我，就像发表他别的空想，但是不，他只要我，作为他的我。以前他拥有我的时候，他是我的时候，他急急忙忙地把我放开，我那时一直不存在，他不喜欢这样，这不是一个生命，当然我那时一直不存在，他也不存在，当然这不是一个生命，现在他有了他的生命，但愿他失去它，假如他想要和平，恐怕还不止呢。他的生命，我们谈谈这个吧,他不喜欢这样,他已经理解了,以至这不是他的生命,这不是他,你们想想,对他做这个,这对莫洛伊,对马龙是好的,这就是凡人,幸福的凡人,但他,你们没想到,经过了那儿,他从没挪动过,他就是我,考虑了所有的事情,种种事情,考虑的方式,他只有不去。他就是这么说的,今晚,他就是这么说的,他这么自言自语地,我这么说的,只有我,和我的空想,今晚,在这儿,在尘世,一个没有发出声响的声音,因为它不传向任何人,和一个脑袋,充斥着厌倦的战争和马上站起来的死人,还有一个躯体,我马上就要把它忘了。今晚,我说今晚,也许是早晨。所有这些事情,什么样的事情,在我周围,我不想再否认它们,这不再值得。如果这是自然,这也许是树和鸟儿,它们齐心协力地进行,水和空气,为了让一切都能继续,我不需要知道细节。我也许坐在一棵棕榈树下。要么就是一个房间,带有家具,所有让生活更舒适所必需的东西,勉勉强强被照亮,因为窗前的那堵墙。我所做的是,我说话,我让我的空想说话,这只会是我。我大概也沉默了,聆听,于是听到那个地方的声音,人世的声音,你们看得出为了变得理智,我是不是费了劲。这就是我的生命,为什么不呢,这是一种生命,假如人想要，假如人绝对一心想要，我不会说不，今晚。看起来，需要有这个，既然有了歌词，不需要故事，并不一定要一个故事，只要一个生命，这就是我犯过的错误，那些错误当中的一个，就是被自己想要一个故事，然而只要生命就足够了。我现在在进步了，真险啊，我最后终于能够闭上自己的脏嘴，除了预料的以外。但那来来去去的人，为了换个位置而想方设法的人，非常孤单，即使他身上没有发生任何事，很明显，还是那一个。我呢我待在这儿，坐着，假如我坐着，经常我感到自己坐着，有时候站着，要么这种要么那种，或者躺着，这也是一种可能，经常我感到自己躺着，这是三种可能中的一种，要么跪着。重要的是存在于人间，姿势不重要，既然人在这尘世。呼吸，人没有更多要求，流浪不是一种义务，收容也不是，人甚至可以以为自己死了，只要提醒这一点，人可以幻想更宽容的状态，我不知道，我不幻想。在这种情况下对我说别的地方、另一个人没有用，我手上所有必需的东西是原来的样子，这么做是为什么，我不知道，我必须要做，如今我又一个人了，这该是什么样的宽慰。是的，有些时候就像现在一样，像今晚一样，我几乎好像又恢复到可行的状态。然后这过去了，一切过去了，我又远了，我又有一个远远的故事,我在远处等自己,为了开始我的故事,为了结束我的故事,这个声音又不会是我的声音了。如果我可以去,那就是我会去的地方,如果我可以存在,那就是我要成为的人。

五

我拿着记录笔,我拿着羽毛笔,在我不知道什么诉讼案件的庭讯上。为什么希望这是我的诉讼案件,我不在意。又开始了,这是今晚的第一个问题。成为法官和当事人,证人和律师,还有那个人,聚精会神,漠不关心,拿着记录笔的那个人。这是一个情景,在我的头脑中,那儿没有力量,一切都在沉睡,一切都死亡,等着诞生,我不知道,或者在我眼前,它们看见了这一幕,一瞬间,这一幕压迫眼皮,就一眨眼的时间。之后很快眼睛又闭上了,为了在头脑中去观看,为了试着在那里看到,在那里找到我,在那里找到某个人,在一个完全不同的正义的寂静中,在存在就是有罪的那个黑暗诉讼的布景中。因此一切都没有出现,一切都不出声,人害怕诞生,不,为了开始死亡,人很想诞生。人,也就是说,我,这不相同,在那儿我拼命希望明白不该有希望。我可以站起来,转个圈,我对此羡慕得要死,但我不会做。我知道我会去哪里,我会去森林,我会试图进到森林里,除非我不在那儿,我不知道我现在在哪儿。总而言之我留下来了。我看见这是什么,我试图像我在头脑中寻找的那个人一样存在,我的头脑寻找那个人,我催促我的头脑必须去寻找,去自己探测。不,你不要假装在寻找,不要假装在思考,只要窥伺着,眼睛在眼皮后瞪着,耳朵警惕着一个不是来自第三者的声音,哪怕是一瞬间,一个新的谎言需要的时间。我听说,这应该还是理智的声音,等待是徒劳的,我最好还是去转一圈,就像移动一个玩具兵。也许一直是理智在回答说我不能够,我这会儿好像能够这样了,如果不是感情插了嘴的话,感情被卷进来,众所周知是善变的。波卓为什么从他家里出来,他有个城堡还有一帮仆人。这是个阴险的问题,这是为了让我不要忘记我是被告。有时候我听到一些某一刻看起来公正的事情,那一刻我遗憾它们不是出自我。之后就是多么宽慰,知道我永远地失声感到多么宽慰,要是我没有受到这种痛苦就好了。至于耳聋,我觉得我对耳聋没感到像成为哑巴那么痛苦,那样,多么宽慰,没有在这个上面受到良心的谴责。哦,是的,我听说我还有某种良心,和这个一起还有某种同情心,只要演说家什么都没忘记,我一边听,一边搔痒,因此痛苦,我听到了,这记下来了。今晚的开庭很安静,有很长时间所有的人都看着我,这让我怒不可遏,我感到自己身上冒起混乱的叫声,这记下来了。我用眼角监视着在写字的手,非常混乱,因为——因为疏远的反面。所有这些人是谁,是司法界,根据这个情景,仅仅只是根据它,还有其他的,还会有其他的,其他的情景,其他的人。难道我再也看不到天空,难道我再也不能来来去去,在阳光下,在雨中,回答是不,所有人都回答不。幸运的是我从没要求过什么,就是这种骇人听闻我羡慕他们,在等待回音的时间里。天空,我有——天空和大地,我听说过很多,那是真正的一字一句,我什么都没虚构。我记下来了,我得记下很多故事,把它们作为装饰,它们创造了气氛。在主角的位置它们突出了巨大的差距,与此同时它们在周围不断地汇聚起来,就像谁说的像在一个钟罩下面,同时又可以从那儿无限地向各个方向运动,谁能理解就去理解吧,这不属于我的权限。海也是,我也了解海,它组成同一个系列,我自己甚至好几次在里面溺死,在各种虚假的诉讼里,你让我笑笑,但愿我能够笑就好了,一切都会消失,什么,谁知道,一切,我,被卷进来。是的,我看见这一幕,我看见手,它慢慢地从阴影里出来,从头的阴影里,然后一跳又回到阴影里，这与我无关。就像一只短腿的小动物把一点尖尖露出来，又回去，应该听到些什么，我说的就像我听的。这是书记官的手，他有权戴假发吗，我不知道，以前也许是。当安静下来时我做的是，标出一个演说效果，或者厌倦的效果，困惑的，惊愕的，我把食指的中节指骨在嘴唇间擦来擦去，但这是头脑在翻腾，手在休息，就是用这样的细节人以为骗过了他的世人。今晚就是像这样，明天会是另外的样子，我也许会在陪审评议会上出庭，这会是至高无上的爱的法庭，理所当然的严肃，但从属于奇特的宽容，这将事关我的灵魂，我更喜欢这个，人也许会为我的灵魂要求怜悯，不应该漏过这个，我不会在那儿，上帝也不会，这没关系，会有人代表我们。是的，这肯定很快了，我就要很久没有被惩罚了，是的，但是每一天的痛苦足够了，今晚我拿着钢笔。今晚，总是今晚，人总是谈到晚上，即使那是早晨，这是为了让我相信夜晚来临，带来了安息。首先得我以为自己存在于那儿，然后我会吞下一切，不会有比我更轻信的人，如果我存在于那儿。但我存在，这不可能不同，公正，这不可能，这不需要成为可能。多么了不起的事情，存在于那儿，假如人不能相信这一点。这令人厌倦，得到和失去只是一个冲动，伴随着激动的情绪，人不是木头做的，记载判决，戴法官帽，昏倒，这令人厌倦，长此以往，我对此厌倦了，我会对此厌倦，在我的位置上。这是个游戏，这变成了一个游戏，我要起身，我要离开，如果这不是我就是某个人，一个幽灵，幽灵万岁，死人的幽灵，活人的幽灵和那些还没生的人的幽灵。我会跟着它，闭着眼，不需要门，不需要思想，要从这想象的头脑中脱离，混入空气中，大地中，让自己被滋润，慢慢地，在流亡中。我这下被缠上了，它们一个接一个，离开了，走在最后的把我抛弃了，留下我空空的，空空的，沉默寡言。是它们在低声地说着我的名字，向我谈论着我，谈着一个我，但愿它们去向别的人谈起，向那些不相信这些的人，或者相信这些的人。这所有的声音都是属于它们的，就像我头脑中锁链的声音，它们向我吱嘎地叫着说我有一个头脑。刑事审判就在那里，在今晚，在这穹庐似的夜的深处，就是在那儿我担任书记员，不理解我听到的，不知道我写下的。陪审评议会明天将会在那里举行，它将会为我的灵魂而祷告，就像是为一个死人的灵魂，就像是为一个死去的孩子的灵魂，在他死去的妈妈肚子里，免得他的灵魂去到地狱的边境，这真漂亮，神学。这将是另一个晚上，一切发生在晚上，但这将是同样的夜,它也有自己的晚上,自己的早晨和自己的晚上,这是思想漂亮的视野,这是为了让我相信白天来临,驱散了幽灵。这会儿是鸟了,最早的鸟儿,这个故事还会是什么呀,你别忘了问号。这应该是庭讯的结尾了,很安静,整体上。是的,这出现了,突然有些鸟儿,一切都不出声了,片刻。但是,这些幽灵,它们回来了,它们徒劳地离去,混到垂死的人当中,它们又回来溜进棺材里,小得像个火柴盒的棺材,正是从它们那儿我掌握了我所知道的一切,关于那高处的事情,和我以为知道的关于自己的一切,它们想创造我,它们想培养我,就像雌鸟想抚养雏鸟,带着它从远处找寻的幼虫,冒着——我要说冒着生命的危险!但每天的痛苦就足够了,那是另外的时刻了。是的,人开始感到累了,对自己的痛苦确实感到累了,对他的笔感到累了,笔掉了,这记下来了。

六

在这些露面之间发生了什么呢?假如发生了这个,我的看守人会休息和睡觉,之后又追究我,那假如发生了那个呢?当然,他们会去恢复体力。全部一起吗?他们会打牌,打一会儿,打滚球,为了休息头脑,他们有权消遣吗?我会说,假如我有发言权的话,不,不能消遣,只能稍微休息会儿,一个快餐,出于理智,为了健康。他们喜欢这个工作,我感到了这一点!不,但我说的是我,不涉及他们。今晚听觉很差,只有一些零星的碎片,真的。新闻,你记得最近的新闻吗,今晚的新闻,最近时刻的,用慢慢显示的灯光字母标的,在皮卡迪利广场上面,在一片混乱之中?你那时在哪里,在玻璃厂街角关了门的小香烟店门槛那儿,不,你记不得了,那是当然了。偶尔会这样,稍稍地,偶尔眼睛工作着,安静,叹息,就像一种厌倦了叫喊的悲伤,或突然衰老的悲伤,看见自己突然衰老,叹息自己,叹息那美好的日子,那漫长的呼唤自己不朽的日子,但这很罕见，相当罕见。我的看守们，为什么看守，我又不会冒险离开，啊我明白了，这是为了让我以为自己是囚犯，存在膨胀着，把墙、城墙和界限都逼退了。在别的时候这是护士，从头到脚都是白的，甚至鞋也是白的，那么这是另外一种语言，但这是同一回事。在别的时候这是种女吸血鬼，像虫一样软绵绵的光溜溜的，攀在尸体周围咯咯地笑着，但是我就是死也跟垂死者一样成就很少。在别的时候这是一大串骸骨，摇晃着，带着响板的声音，这是利落的，像黑人一样快活。我和他们会过得很好，假如立刻这样的话，为什么一旦是立刻就永远不会有任何事。这是些例子。这是变化的，我的生命是变化的，我做不到任何事。我知道得很清楚，这儿没有人，既没有我也没有别人，但这不是要说的事，那么我就什么都不说了。别的地方我不说了，别的地方，对无限的这个地方而言难道可能有一个别的地方吗？我知道，用一点头脑我就可以脱身，在我的头脑里，和那么多别的头脑一样，比这更坏，这又会是人世，在我的头脑里，而我说到底和最初的时候一个样。我会知道没有什么东西挪动过，知道要在多变的天空下，在运动的大地上来来去去只要想想就够了，就像在夏天漫长的日子当中玩所有的游戏太过短暂，人们称这为游戏，假如我稍微有点头脑。那又会是空气，太阳，天空的阴影滑动着，在大地上而这只蚂蚁，这只蚂蚁，幸运的是我没有头脑。放下吧，放下吧，没有什么东西通向那个地方，这一切没有什么东西，我的生命是变化的，人不能知道全部，我做不了任何事，但是当我做成了什么事的时候呢？当我一直工作，一整天，还有夜晚的一段时间，我不记得了，当我以为坚持下去我就会做成，就会找到自己的时候呢？喏，这就是我，一个小鸟巢里的微小的尘埃，被从外面来的看不见的这丝风吹起，那丝风又压下去。是的，我永远存在于这儿了，和那些蜘蛛与死去的苍蝇一起，和它们笨拙的翅膀的颤动一起跳舞，我对此很高兴，很高兴，高兴这结束了，在我费劲之后，穿过了他们眼泪的潭蓓谷。有时候来了一只蝴蝶，刚刚从花儿那里来，因为很软弱，很快就死了，翅膀呈十字形，就像在休息，在阳光下，鳞片是灰色的。只要删除，词语是任由删除的，和他们虚构的疯狂思想，对这污泥的忧伤，上帝的灵在这污泥中吹过，很久以后，他的儿子在这污泥中写字，从那狗日的手指尖，到婊子养的脚，只要扫除，只要说什么都没有说过，那这就还是什么都没说。但在这种情况下，它们怎么会成为什么，我那时的组织，我现在再也看不见，我现在再也感受不到，在我周围飘浮，在我内部，啊，它们大概还在某个地方游荡，被当成我。我曾经相信这个吗，我曾经相信自己在那里吗，你还是去那儿找找，去那儿找找还是，你可能一直在那儿，傻呵呵的，仅仅肯定没有。眼睛，是的，如果这些记忆是我的，我肯定得相信，有一刻，以为看见自己在那儿，难以理解地，在眼睛的视角的尽头。我看见自己，用这闭了很久的眼睛，用那时的眼睛去搜寻，我大概是十二岁，因为镜子，圆圆的，一个刮胡子用的镜子，有两个表面，一面放大，另一面忠于原形，在其他中，真实中，那时的真实，搜寻唯一的一个，看见我在那儿，想象着看见自己在那儿，藏在微蓝的幕布尽头，瞧着我却没有看见我，在十二岁，因为镜子，旋转的镜子，因为我的父亲，如果那是我的父亲，在水房里，从那儿看得见海，夜晚时还看到航标船，港口的红灯，假如这些记忆与我有关，在十二岁，或者在四十岁，因为镜子留着，我父亲离开了但镜子留着，他已经变了很多，我母亲在梳头发，用颤抖的手，在另一个房子，那儿看不见海，看得见山，假如那是我母亲，这是尘世多么漂亮的一段生活。我存在过，我存在过，那些炼狱的人说，那些地狱的人也说，可敬的复数，令人赞叹的肯定。钻到镜子里，直至鼻孔，眼皮沾着结冰的眼泪，重新经历战争，多么平静，在惊讶之后知道自己，不，我肯定听错了。在接下来的安静之前，还有多少小时，这不是小时，这不会有安静，还有多少小时，直到下次安静？啊一动不动地存在，知道这件事没有尽头，这件事，这件事，这一堆安静和词语，不是安静的安静，嘀嘀咕咕的词语。或者了解到这还是生命，一种生命的形式，注定要结束，就像别的人已经可以结束，就像别的人会结束，在生命结束之前，以自己所有的形式。词语，词语，我的生命从来就只是这，只是乱七八糟的安静和词语的巴别塔，我生命的生命，我说结束了，或者将来的，或者一直在进行中，根据词语，根据小时，只要这还在延续，以这种奇特的方式。露面，看守，多么孩子气，还有女吸血鬼，真想不到我说了女吸血鬼，难道我就知道这意味着什么吗，当然知道，还有在此期间发生的事情，似乎我不知道，似乎有两件事，和这件事不同的事，这是什么，这件无法称呼的事，我称呼，称呼，称呼，而不磨损它，我把这称为词语。这是因为我没有碰上好人，那些杀人的人，发出恶臭的食物的酸味他们还没有让我呕出喉咙，这激流般的词语，用哪些词语来称呼，我的无法称呼的词语。然而，我好心地希望,我发誓,有一天能够讲述一个故事,再来一个,和人一起,人这个种类,就像那时候我什么都不怀疑,几乎。但首先得闭上嘴巴继续哭泣,眼睛睁得大大的,让珍贵的液体自由地失落,不去灼烧眼皮,或者晶状体,我不清楚了,灼烧的东西。哟,那是愚蠢地呜咽的声调,还有含量吗?这可太美了。总之没有一滴眼泪,没有一滴,说准确点我差点要笑了。也没有。严肃,我会严肃,我再也不听,我闭上嘴巴,严肃,时候到了,嘴巴又来了。天知道,重新张开嘴,这是为了说一个故事,从词语真正的意义上,说这个词,故事这个词,我好心地希望,一个小小的故事,给一个塞满死人的可以居住的土地上来来往往的生命物,一个简短的故事,在白天和夜晚的来回往复运动下,假如他们一直走到那儿,词语留下了,我好心地希望,我发誓。

七

我是不是已经尝试过一切,到处打探过,悄悄地,同时耐心地聆听,没有发出声音?我严肃地说着,像时常那样,我喜欢了解自己是不是做了一切,在把我当作缺席者之前,抛弃之前。到处,我说的是那些我有机会存在过的地方,我以前待的地方,在那儿等着时间把我滑到外头去,遭受过苦难的地方,在说到处的时候,这就是我想要说的一切。以前,我说的是当我还在挪动的时候,当我感到自己在挪动的时候,痛苦地,勉强地,但总体上来说无可置疑地在换位置,树木说明了这一点,沙漠,顶峰的空气,城市的马路。这种口气给了人希望,过去的更好,不管怎么说,有些白天和夜晚我很平静,那时我穿过和重新穿过无用的道路,我知道这很短,而且温柔,因为天狼星,也因为一种死人的平静,在我疯狂的内心深处。我的问题,我那时有一个问题,啊,是的,我是不是已经尝试过一切,我现在还看见它,可它过去了,比空气更轻盈,就像一片云，一个月夜，在那个天窗前，在月亮前，就像月亮，在天窗前。不，以属于它的方式，我很了解它，晚上眼睛跟着黑暗中的月亮，一边想着其他事情，思想在别处，是的，就是这样，思想在别处，眼睛也是，说真的眼睛也在别处。啊假如要说出灵魂角落所有的言语，就像在一个沙龙里，不，我只有一个愿望，假如我还有愿望的话。但别的事情，在那些严肃的事情之前，我勉强有这个时间，假如我快点，在所有这个时间的空洞中，勉强有这个时间。别的事情，我称这个为别的时间，这个陈旧的事情，我很费劲地保持沉默，看见时间飞逝，带着乐趣，我称这为乐趣，我谈乐趣，而不是利用时机，时机不会马上回来，假如我记忆好的话，但是它会再回来，这是我的安慰，带着它在瞬间表演的骑术。说到底这不是我，我不是在谈论我，我说过十万次了，说我羞愧没有用，既然谈论我羞愧，那么就有个 X，人类的范例，随心所欲地运动，带着欢乐和痛苦，也许是个女人和一些孩子，当然是些直系亲属，一个以上帝为写照的身体和一个当代人的头脑，特别是具有运动天赋，尤其是这一点让人吃惊，面孔那么平易近人，灵魂那么有教育意义，真的，谈论他自己，那么就有一个 X，不，幸好我没有谈论我，够了，你这只肮脏的鹦鹉，我要杀了你。假如在这整个时间内，在这整个时间以来，我一直待在东南火车站的三等车厢的候车室内，我等着出发，绝不敢拿低等火车票去乘高等车厢，假如我一直在那里等着出发，去东南方，确切地说是南方，东方是海，沿着铁轨，我想去哪儿到底南下去哪儿，或者思想远了，在别的地方。最后的一班车出发是二十三点三十分，之后夜里，火车站就关了。什么记忆啊，这是为了让我相信我死了，我已经说过十万次了。但是同样的记忆又回来，就像一个转动的车轮的轮辐，总是相同，全都相似，就像轮辐。不过，每当我想这一刻重来，我想，假如车轮在我头脑里转动，我想，这是因为我是用自己的血在想，假如它只是在来来往往，像一个钟摆在钟盘里，甚至还很勉强，因为要考虑体积，而头脑，那只能重新来一次，因为我是用我的呼吸在想。但是见鬼的我又远离了终点站，在那漂亮的新古典主义的列柱廊，远离了这一堆肉体、肉皮、骨头和鬃毛，这一堆等着离开，去向它不知道的地方，如果不是去南方的话，也许在睡觉，票在手里，为了掩饰窘态，或者掉在脚下，睡意已经完全舒展开，也许在梦想着天空，从天空中掉下，或者说是黎明，确切地说在等着黎明，可以高兴地可以对自己说，我有一整天，可以弄错，可以弥补，可以安定，可以放弃，我没什么可怕的，我的票终生有效。就是在那里我停住了吗，那还是我吗，笔直僵硬地坐在长椅的边缘，手放在大腿上，知道放任自流的危险，票在拇指和食指之间，在这个大厅里，只有站台昏暗的光线照亮着门，门小气地装着玻璃，配了个服务生，用钥匙锁了起来，在黑暗中，就是那儿，那就是我。在这种情况下夜是漫长和奇特的安静，对那些想回忆城里的嘈杂声的人来说是混乱的，这只是一种唯一的嘈杂声，只是对一种唯一混乱的嘈杂声不可能的记忆，持续了整个夜晚，膨胀着，垂死着，但是从没有任何一个被安静打乱的时刻可以与这震耳欲聋的安静相比。从那儿大概会接下来吧，但是什么都没有，只有东南火车站三等车厢的候车大厅里要从可参观的地方的数量中删除，看得远一点，从更远的几个世纪来看，这大理石不再是我，必须到别处去寻找，除非是放弃，这是我的看法。但是慢一点，不是所有的城市都是永恒的，它现在也许不复存在了，这个义务的城市，和被抛弃的火车站，我现在上身笔直，僵硬，手放在大腿上，票的一角在拇指和食指之间，等待一辆绝不会到达的列车，绝不会重新出发的列车，开向大自然，不管在关着的布满黑黑的废墟灰尘的玻璃门后面，白天来不来。这就是为什么不要急着下结论,那犯错误的风险太大了。在别的地方寻找我,在那生命持续的地方,那我也在那儿,所有的生命都已经从那儿离开,除了我自己的生命,假如我活着,不,这会失去它的时间。就个人来说我再没有时间失去,我听说过这一点,这就是一切,就今晚而言,夜晚来临,是该开始的时候了。

八

只有词语打破了安静，其余的都不出声了。如果我不出声我就再也听不到任何东西。但如果我不出声其他的声音又会重新开始，词语让我对这些声音充耳不闻，要么这些声音真的停止了。但我现在不出声了，这些就来了，没有，从来没有过，一秒钟也没有。我也哭，没有间断。这是不间断的流水，词语和眼泪的流水。一切都没反应。但我说得更低声了，每年都更低声一些。也许。也更慢了，每年都更慢一些。也许。我没意识到。所以停顿也许更长了，在词语之间，句子，音节，眼泪之间，我把它们搞混了，词语和眼泪，我的词语是我的眼泪，我的眼睛是我的嘴巴。在每个小小的停顿之间，我大概听到了，这是不是像我说的安静，一边说着只有词语打破了安静。哦，不是，这总是同样的嘀嘀咕咕，流水一般，没有中断，就像只有一个没有结束，因此也没有意义的词语，因为是结束才赋予意义，给词语的意义。那么有什么权利，不，这次我看见自己来了，我停下来，说，没有任何权利，没有任何。但是接下来，那首古老愚蠢的挽歌，我问自己，一直问到底，一个新的问题，最古老的问题，就是了解这是不是总是如此。哦，我会对自己说一件事情（如果我可以），我希望它负有对未来的允诺，也就是说我开始再也不知道这以前是怎么发生的（我曾经可以），在以前我在别的地方听到过，世界已经给自己制造了空间，再也不会有了，因为我不会从这里出去了。是的，我的过去把我抛出去了，它的栅栏打开了，或者是我自己逃了，也许是挖了个洞。为了在一个白天黑夜的梦中自由地游荡一会儿，梦见我，一个季节接一个季节地走向最后一个季节，就像一个活人，在存在之前，突然，在这儿，没有记忆。从此再也没有任何东西，除了想象和看见我的一个故事的希望，从某处来又能够回那儿去的希望，或者某天，继续，或者没有希望。没有哪个希望呢，我刚刚说了，就是看见我有生命的希望，不只是在一个想象的头脑里，一块许诺的沙上的卵石，在一个变化的天空下，稍微变换一下位置，每个白天，每个夜晚，似乎这可以有帮助似的，希望变得更小，越来越小，从不消失。真的不，无论什么，我说无论什么，希望消耗掉一个声音，消耗掉一个头脑，或者没有希望，没有原因，无论什么，没有原因。但这会结束的，会有一个词尾来到，要么气短了，更好，这就会有安静了，我会知道是不是有安静，不，我从来不会知道任何事。但是从这里出去，至少这一点。我不知道。但愿时间重来，天空，大地上的脚步，人们早晨愚蠢地呼唤的夜晚和傍晚恳求不要再出现的黎明。我不知道，我知道这意味着什么，白天和黑夜，大地和天空，呼唤和恳求。那我可以希望它们吗？但是谁说我可以希望这些的，那个声音这么说，我不可能希望任何东西，这看起来自相矛盾，我没有意见。我，在这里，如果它们自己打开，这些小小的词语，会把我吞没，把我重新关上，这就是可能会发生的。那么就让它们自己打开让我出去吧，进入封住我眼睛的光影的喧嚣中，和人的喧嚣中，让我试着重新加入。或者让人赦免我吧，假如我有罪，让我去补赎，就在当时，来来往往，每天都更纯洁一些，更无生气一些。我犯的错误，那些错误中的一个，就是希望去思考，甚至是以这种方式，像我现在这样我不该有这个能力，甚至是以这个方式。但是我到底这么严重地冒犯过谁呢，可以以这样无法理解的方式惩罚我，一切都是无法理解的，空间和良心，错误和无法理解，痛苦和哭泣，直至那到了极点的衰老呼叫，这不是我，这不可能是我。但我是不是在受苦呢,不管这是不是我,坦率地说,有没有痛苦呢?但这儿没有坦率,不管我说什么都是错的,首先这不会是我,我在这里只不过是一个说腹语的人的玩偶,我什么都感觉不到,我什么都没说,他把我抱在怀里,用一根线,一个钓鱼钩,翻动我的嘴唇,不,不需要嘴唇,一切都是黑的,没有人,那么我的头脑在哪里呢,我肯定把它留在爱尔兰了,在一个小咖啡馆里,它应该还在那儿,前额在柜台上,这是它该得的。但这另一个是我,瞎了,又聋又哑,这是我在这儿的原因,这黑色寂静的原因,我再也不能动弹也不能相信这个声音是我自己的嗓音的原因。我得把自己化装成他,一直到我死,为了他从现在到那时试图不再活着,在这个被认为是他的假坟墓里。于是我知道自己放着必死的屁,也许在欧洲某个地方的上面,在天空下吸进和压出,每天都更成熟一些,就像昨天还在子宫的泵里。不,已经说的东西说服我相信相反的事,我从没见过白天,更别说他,那是话语的完全否定的美丽,不幸的是否定遭受了同样的命运,这就是它的丑陋。好好地选择时机,不出声,难道这是获得生命和栖所的唯一方法?但是我现在存在于这里,至少这是肯定的,我徒劳地表达并一再表达,这仍然是真的。我没意识到。比起当我对自己说我在尘世,来到人世,肯定要离开的时候,这要不那么真实,不那么肯定,因此我这么说,耐心地,变化着,试着变化,因为人们从来不知道,这也许只是牵涉到碰上一个好的集合体。为了最终不再存在于这儿,从来不曾存在于这儿,但是自从在那上面度过的所有时间以来,有过一个名字,就像一条狗那样,能够让人叫我,有过一些有特色的标志,可以让人找到我,胸脯自己涨起来又凹陷下去,气喘吁吁直至伟大的呼吸暂停。那个好的集合体,可是有四百万种可能,甚至概率,根据亚里士多德的说法,他这个无所不知的人。但我看见了什么,用了什么东西,一根白色的棍子和一个助听器,这是哪儿,共和国广场,在喝绿茴香酒的时刻,我们稍微看看这个吧,我也许最终在这儿了。助听器,在耳朵的高度航行,突然像一个汽笛,那种可以让我的汽船在雾中往前冲的东西,没精打采的,这大概是在确定时间,差了几个五十年。棍子前进,用包铁皮的一端敲着联合商店尊贵的奠基座,这可能是冬天,总之不是夏天。稍微费了点劲,我也模模糊糊地看见,一个钟形帽,哦,据说是所有那些我从来不喜欢的人的可笑的总结,在另一个极端,同样混浊不清地看见,一些黄色的高帮皮鞋,被撕掉了,半开着。这些标志,如果我敢说的话,就像被人类的传统赋形剂给绑在一起,是齐心协力地前进,停止不动,又重新出发,被宽敞的玻璃橱窗确认下来。帽子的高度,也因此是助听器的高度,给我提供了一个矮子的小小的未来,或者至少是驼子的未来。这一切都是自由的,这一切都是诱惑人的。我是不是马上溜进去呢,试着再一次地叫人利用我梦幻的缺点,让它们变得有血肉而转动起来,变得越来越严重,在这个宏大的广场周围,我也许把它和巴士底广场混淆了,乃至判断它一定靠近拉雪兹神父公墓,或者更好,在牧羊人的时刻一边想超越,一边过早地宽慰。不,答案是不,因为就在转动的时候,甚至在所有人伸出手或者帽子的动人心弦的时刻,没有预先的歌唱,没有另外的对自尊的让步,在咖啡馆的露天座上,或者在地铁口,我知道这不是我,我知道自己在这里,乞讨在另一个安静中,另一个黑暗中,另一个恩惠中,存在或停止的恩惠,或者更好,从来不曾存在。衰老的手无意义地放下一个子儿,衰老的脚重新离开,走向一种比任何一个人的死亡都更无意义的死亡。

九

　　我也许应该说,那里有个出路,某个地方有个出路,其余的就会来。就这么说,这么相信吧,我到底还期待什么呢?其余的,这意味着什么呢?我要回答,试着回答,或者继续,就像我从来不曾要求过什么吗?我不知道,我什么都不知道,事前,事中,事后,未来会说出这个,近的时刻,远的时刻,我听不到,理解不了,因为一切刚一出生,就已经在死去。是和不是没有任何意味,在这个嘴里,这就像叹息强调了痛苦,或者是些回答,对一个不理解的问题,对一个不出声的问题,在一个哑巴的眼睛里,一个头脑迟钝的人的眼睛里,他不理解,什么都没理解,在镜子里看着自己,看着他前面,在空虚中,眼睛圆睁着,叹息着是,叹息着不是,越来越远。但这是推断的,这是到来的,也就是说同样的事情又会来到,一个接一个地被引来驱走,不需要知道哪一个。这是机械的,就像非常冷,非常热,漫长的白天,漫长的夜晚,月亮,这是我的确信,因为我确信,当轮到这个的时候,然后我就再也没有了,就是像这样,必须相信这个,也就是说必须说这个,既然我刚刚说过。出路,今晚轮到出路,难道不是人们说的二重唱,或者三重唱,是的,有时候好像是这样,之后过去了就再也不像这样了,从来没有像过,不像任何东西,不像任何东西,那个要知道这是什么的问题,没有提出来。多么变化多端同时又多么单调,这是多么变化多端同时又是,怎么说呢,多么单调。这是多么动荡同时又是多么平静,在那种不变的深处有多少变迁。犹豫的时刻,假如必须选择,与其说少,不如说很频繁,很快被克服了,为了真正的话语,一开始一切都依赖这话语,然后是很多东西依赖,然后很少,然后没有东西依赖。就是这样,杂乱的一堆,你在我周围吧,一大堆,不再涉及人,也不是一个要离开的世界,也不是一个要赢得的世界,为了结束这个,世界,人,词语,悲惨,悲惨。没有说得更早,啊,我想,必须预料到这个,要是我可以说这个就好了,那儿有个出路,那么一切都将确定了,这会是第一部,通往可行的漫长的旅行,终点坟墓,在安静中走过,一小步接着一小步,不能更改,首先在长长的走廊,然后在致命的野外,超过白天和黑夜,越来越快,不,越来越慢,出于一些容易理解的原因,由这越来越快,出于另外一些容易理解的原因,或者出于同样的原因,以另外的方式理解,或者以同样的方式理解,但是在另一个时刻,一个更早的时刻,一个更晚的时刻,或者在同一个时刻,它不存在,它不可能存在,我总结了,不可能。难道我知道我是从哪里来的,不,我也许有一个母亲,我也许有过一个母亲,从那儿出来,费了很大的劲,不,我肯定忘了,全忘了,是什么事情让我讲这个,什么事情让我讲那个,什么事情让我讲全部,这不肯定,不肯定如同母亲可能是肯定的,如同坟墓可能是肯定的,如果有一个出路,假如我说有一个出路,魔鬼,您让我说这个吧,不,我不会要求任何事情了。是的,我可能有一个母亲,我可能有一个坟墓,我肯定没有从这儿出去,人们现在没有从这儿出去,这儿是我的坟墓,这儿是我的母亲,今晚是这儿,我死了,不断在诞生,没有结束,不能开始,这是我的生命。这是多么合情合理,所以我抱怨什么呢,抱怨在坟墓前,再也走不了一百步,同时对自己说,但愿这个喜剧延续下去,有时间可以结束,难道那就是我的抱怨吗?这是可能的。我有理由不安,同时问自己不安什么,我来来往往,寻找可能是的东西,我找到了,同时对自己说,这不是我，我还没有开始，人们还没有看到我，同时对自己说，是，是，这是我，正在走向不再是，更有甚者，在加快脚步的同时，为了在接下来的攻击之前到达，我好像在时间上行走，同时对自己说，就这样继续下去。这段时间以来，我想必没有不被人注意到，但是人们可能没说过这个，说我没有不被人注意。我不说日安，我肯定是第一个被这个打扰的人，几乎跟被一个点头或一个手势打扰一样。但别的示意，克制不住，打哆嗦和做鬼脸，尽管不情愿，人们还是通过这个突出你们，我觉得，也不是，除非也许是出自马儿的，它们训练有素，戴着眼罩，拖着柩车，恐怕还有比不上这个的，我肯定给自己带来了太多的荣誉。真的我没有发现一张面孔，这就是我没有在那里的证据，不，这证明不了什么。但没有被人痛打的事实，我就可能无动于衷地待在那里头吗？哦，我想他们肯定可以在我身上寄托最讨人喜欢的暴力，我不会说我没有意识到这一点，但我会说这没有帮助我在那里感受到自己，不如说在另外的地方。我也许在他们国家的监狱里度过了我一半的生命，去洗涤另一半生命中犯下的不法行为，我那可疑的警卫，自由地在坟墓的门前，我没有觉得他们有过一刻的松懈而变得温和。假如，他们厌倦了看见我站起来，看见我在每个强制的假期后重新回来,在坟墓的门前,他们允许自己稍微支持一下自己的打击,就刚好够给予死亡,一点都没有热衷于猛烈追击尸体,在那里,在坟墓的门前,我出现在那里,同一天早上,一释放出来,对社会,付清了我的债务,重新走上我旧时的错误,向四面八方,步子时而慢,时而快,就像谋反者卡塔利纳策划毁灭祖国,同时对自己说,这不是我,不,这是我,同时对自己说,那儿有个出路,不,不,我混淆了,我大概搞混了,这儿和那儿,现在和那时,就像我那时把它们搞混一样,那时的这儿,那儿的那时,和另一个空间,另一个时间,很难分辨,但不会比现在更难,现在我在这儿,假如我在这儿,也不是那儿,来来往往,在坟墓前,在困惑中。或者我最后只是坐着,背靠着墙,面前是漫漫长夜,死人在夜里等待,在他们死亡的床上,被裹着,面朝天,或者在棺材里,等着太阳升起。但我在做什么,我试着给自己定位,以便必要的时候,能够去别的地方,或者对自己说,只有等待,等人们来抓我,这是我的感觉,不时的。然后,这感觉过去了,我明白了,不,不是这样,是别的事情,难以理解,我理解不了,或者我理解了,这要看情况,这是一回事,因为这也不是这样,但还是别的事情，或者前一件事情又回来了，或者总是同一件，同一件事情自己出现，让我困惑，又消失，在重新自己出现之前，让我的困惑仍然没有满足，或者暂时困惑得要死，停滞了。坟墓，是的，就是那儿，我要回去，今晚就是那儿，被我的词语运送着，如果我可以从这里出去，也就是说如果我可以说，那儿有一个出路，确切地知道在哪儿可能简单地涉及时间，耐心和思想的连贯以及表情的幸福。但是身体，要去哪儿，身体在哪儿？这是次要的，这是次要的。我很平静，我会在那儿，在出路那儿，迟早，如果我说在那儿，某个地方，别的词就会来到我这里，迟早，还有可以凭借去那儿的东西，去那儿，穿过，看见天空承载的美丽事物，又见到星星。

十

抛弃,但这是被彻底抛弃了,不是最近,我不是最近的。所以从前有过什么东西。要相信是的,但要知道不是的,从来没有任何东西,除了抛弃。说过抛弃人们就说抛弃了,没有打算。但就算不是,也就是说是,以前曾经有过什么东西,在一个头脑里,在一个心里,在手中,后来一切打开了,倒空了,又关上,不动了。这下我们平静了,在热情过后,能够继续,再一次地。但这不是寂静。不,这在说话,某个地方有人在说话。什么都没说,好的,但是这够了吗,要让这对什么东西有点意义?我明白这是什么,头脑落在其他器官之后,它的肛门就是嘴巴,或者它独自继续,独自继续自己垂老的步态,拉出陈旧的屎又吞下去,又在嘴唇上开始,就像那时它以为它是一小部分的时候。只有心不再在那里,胃口也没了。好了,又来了,没有欺骗,是我的功劳,这衰老的过去,从不相同,但永远地结束了,永远地在结束中,它所包含的一切,对明天的许诺，在当前的安慰。我又在有能力的人手中了，他们抓住我的头，从后面，奇怪的细节，就像在理发店，用他们的食指蒙住我的眼，用他们的中指按住我的鼻孔，用他们的拇指按住我的耳朵，但是没做好，让我听得见，但是没做好，用他们其他四个手指头按住我的下颌和舌头，让我透不过气来，但是没做好，让我说，为了我好，我该说，为了我将来好，众所周知的调调，特别是在这个时候，这只是要度过的一个难过的时刻，一个暂缓的时刻，没有他们这对我来说肯定是致命的时刻，有一天我会重新知道有过这个时刻，知道差不多是谁，如何继续，独自说话，亲切地，关于俺，关于他苍白的同伙。也许，因为我还不该过于肯定，这肯定不是为了我的利益，别的手指，也许还有别的手指，别的触手，是的，别的善良的吸盘，不过我们不要因为这点小事就打断，它们记载了我的声明，为了在这无休止的狂热结束后，一旦重新开始，我就不会因为犯了这个疏忽而招致责骂。这下糟了，糟了，但是过得去，已经是这样了。旁边，也许在旁边和周围人们接触过别的灵魂，昏过去了，生病的灵魂，过度服役，或者还没能服役，但是还可以服役的灵魂，或者被坚决果断地扔掉的，我的苍白的同伙的灵魂。或者这是我们最终成形的时间地点，因为人们把身体放在尘世上，在他们死的时候，甚至就在他们正在死的时候，免得增加费用，或者新的职位的时间地点，死去小孩的灵魂，或者在有身体之前就死去的小孩的灵魂，或者年轻的头脑迟钝的灵魂，在瓦砾当中，或者还没有活过，还不知道活，为了这个原因或那个原因，或者不死的灵魂，这也该是有的，它们总是弄错了身体，但是正确地等着它们，在那一大群要出生的当中，正确的坟墓的身体，因为活的人全都伺候着。不，没有灵魂，没有身体，没有出生，没有生命，没有死亡，必须没有这一切而继续下去，这一切都是因词语而死亡，这一切都是太多的词语，他们不知道表达其他的东西，他们说没有其他东西，这儿不是其他的东西，但他们不会再说这个，他们不会总是说这个，他们会找到其他东西，是什么不太重要，我会继续，不，我会停下，或者我会开始，一个最新的谎言，会创造我的时间，会给我创造一个地点，一个声音和一刻安静，一个安静的声音，我安静的声音。就是用这种观点他们想让你们耐心点，于是人有耐心了，平静了，在某个地方人平静了，这儿多么平静，喏，我要说，这儿很平静，还有，我多么舒服，多么沉默寡言，我要遵循这个，平静和沉默寡言，从来没有什么把它们打破过，将来也永远不会有什么把它们打破，同时说我不会打破，同时也不会说应该说，我将会明天晚上说这一切，是的，明天晚上，总之，另一个晚上，不是今天晚上，今天晚上太晚了，无法做得很好，我要睡觉，要能够对自己说，要听见对自己说，一会儿之后，我睡过觉了，他睡过觉了，但他没睡过，或者是他现在睡着，他什么都不会干，只有继续，做什么呢，做他现在在做的事，不停下来，也就是说，我不知道，被抛弃，我已经继续过了，被抛弃，什么都没有过，没有在那里。

十一

当我想，不，这不行，当出现一些以前认识我的人，甚至现在还认识我的人，当然是通过眼睛，或者通过气味，当我想到这个，这就像，好像，那么怎么了，我不知道，我再也不知道，不应该开始。如果我又开始，留点神，这有时候会产生好的结果，这有待尝试，我要尝试一下，这几天当中的某一天，这几个晚上中的某个晚上或者今晚，在消失之前，从那上面，从这下面，老是被一样的词语煽动。啊恰好没有，恰好没有，我再也不想这个了，我不再在那儿了，恰好没有。我现在还在路上，通过是和不是，走向一个还有待称呼的，让它给我安宁，让它安宁，让它不再存在，让它从来不存在。称呼，不，没有什么可以称呼，表达，不，没有什么可以表达，那么怎么了，我不知道，不应该开始。把它加到保留剧目当中去，好了，执行它，就像我执行自己，一段一段地死去，一个晚上接一个晚上，一夜接一夜，整个白天，但这仍然是晚上，就算这总是晚上又怎么样，我要说这个，为了说出它，为了在我身后有它，一小会儿。在小夜曲的时候受不了了的是时间，除非这是黎明了，不，我现在不在外面，我在地下，或者在我体内某处，或者在另一个体内，时间总在吞噬，但不是我，是的，就是为了这个这才仍然是晚上，为了我面前有最好的，漫长的黑夜来睡觉，是的，我回答过了，我已经回答了某件事。或者是在头脑里，像个定时器，一个秒表，或者是像一小块海，在移动的灯塔下，海移动，在移动的灯塔下。词语的肮脏让我相信我现在就在那儿，我有一个头脑，一个嗓音，一个头脑相信这个，相信那个，不再相信，不相信它自己，不相信别的东西，但是有一个头脑，一个属于它的嗓音，或者属于别人的声音，别人的头脑，似乎有两个头脑，似乎有一个头脑，或者空虚无用，一个空虚无用的嗓音，但是一个嗓音。但是我没受骗，这时我不在那儿，而且我不在别的地方，不像脑袋，不像嗓音，不像睾丸，遗憾，遗憾我在哪儿都不像睾丸，或者像阴户，在那儿不管什么情况下，一团毛，他看见这出名的东西，从高处，总之，就是想这样。我任由人说出这个，我的词语，它们不属于我，我这个词，这个他们说的词，但他们说了没用。这前进了，前进了，在那些过去认识我的人来的时候,快点,快点,这似乎,不,早熟了。但我到了,咕咕我又来了,为了事业的需要,像负一的平方根,已经完成了我的人文科学,我们稍微看看这个,一个苍白的头脑,涂满了墨水和果酱,一个用功的青年人的骷髅,耳朵支着,眼睛翻白,头发罕见,口吐泡沫,咀嚼着,它在咀嚼什么,一个生蛋白,一个祷告,一篇课文,每样东西都有一点儿,为了所有有用的目的学习了一个祷告,在灵魂结束之前,冒出来,歪歪斜斜的,在说不出词语的衰老的嘴巴中,在不再聆听的衰老的头脑中,我老了,这很快,一个衰老的鼻涕虫,已经学完了他的人文科学,在基纳梅尔街有两个位子的公共小便处,那儿水流出来带着和六十年前一样的声音,我的最爱,因为那召唤,这是妈妈吹哨的声音,前额抵在隔板上,在涂鸦当中,鼓着前列腺,嘟囔着经文,扣上裤裆,我什么都没虚构,处于消遣,或者过于精疲力竭,或者漠不关心,或者故意,为了更湿,我明白自己,或者失去双臂,这更好,没有手,没有手臂,这更好,像世界一样衰老,像世界一样该死,到处被截肢,立在我忠实的残肢上,迸裂出衰老的尿,衰老的祷告,衰老的课文,肩并肩的身体,灵魂和头颅,不要说到痰,我们不说这个,不说黏液形成的呜咽,从心里出来，这是为了心，我有一颗心，我是完整的，就少了几个肢，已经学完了他们的人文科学，然后服满了役，有了这不要骄傲，不要求任何东西，因为射精而摇晃着，耶稣，耶稣。晚上，晚上，哪个晚上，什么组成的晚上，这个时候，我不知道，有友好的黑暗，友好的天空，满足的时间，停止的时间，在半夜餐之前，我不知道，那时也一样，当我对自己说的时候，从里面，从外面，从来到的夜里或者从地下，不管怎么说从远方，我在哪儿，为了只是谈论这个地方，怎么做，从什么时候起，这是目前的，直到什么时候，这是哪个狗日的，他不知道去哪儿，不能停，被当成我，我被当成他，不管是什么，陈词滥调。那时的晚上，但是这个晚上是什么组成的，无休无止，这个晚上我一个人，我就是在那儿，我那时就是在那儿，我总是在那儿，我对自己说的就是那儿，我对他说的就是那儿，他去哪儿了，我看见他了，总是在路上，或许，这有可能，不知道去哪儿，不能停，没有声音对他说，我不再对他说，我不再对自己说，我不再有任何人要说，我说，一个声音在说，只会是我的声音，既然只有我。是的，我失去他了，他失去我了，失去视觉，失去听觉，这正是我要的，难道这个可能吗，我要过这个，我要过那个，而他，他想要什么，他想要停下，也许他已经停了，我，我停下了，但我从来没挪动过，也许他死了，我呢我死了，但我从来没活过。但他，他来来往往，证明充满活力，在那时的晚上，那时的晚上也在挪动，有终点的晚上，有夜晚的晚上，没有说一句话，不能说一句话，不知道去哪儿，不能停下，听着我的叫声，听到在叫喊这不是一个生命，就像他不知道似的，就像这是关于他的生命似的，他过去是一个生命，这就是所有的不同，这是正确的时候了，我那时不知道我在哪儿，也不知道怎么做的，也不知道从什么时候起，也不知道到什么时候，而现在，这就是所有的不同了，现在我知道了，这不是真的，但是我说了，这就是所有的不同了，我正在说，我要说，我要说完，然后结束，我可以结束，我将再也不会在了，这将再也不值得了，这将再也不必要了，这将再也不可能了，但现在这不值得了，这没必要了，这不可能了，就是像这样被推论。不，必须找到别的东西，一个更好的理由，让这停下来，另一个词，一个更好的思想，用来否定，一个新的不，取消其他所有的不，所有旧的把我陷在这儿的不，在这个地方的深处，这不是一个地方，这只是一个为了永恒的时候的时间，它自称为这，在这个存在物深处，这个存在物自称我,它不是一个我,在这个不可能的声音深处,所有旧的不悬挂在黑暗中,像一线烟一样摇摆,是的,一个新的不,只让人说一次,张开它的陷阱一口气把我吞下,连影子和喋喋不休的废话,到一个缺席里,没有存在那么无意义。哦我知道不会发生像这样的事,什么都不会发生,什么都没发生过,我总是存在的,特别是自从我再也不能相信这一点开始,自称在生命中在肉体中在某处在高处在他们闪光的热热的尿里的东西,正在攻击我。这就是为什么,当到了那些以前认识我的人的时刻,这一次事情进行下去了,当到了那些现在认识我的人的时刻,就像我是他们当中的,这就是我要说的,在他们当中看着我来到,然后用眼睛跟着我,点着头,说,这是不是他,这可能吗,之后和他们重新走上一条路之前,这不是我的路,这每一步都让我远离另一条也不会是我的路的路,或者独自待在原地,在两个不断离开的梦之间,不认识任何人,任何被认识的人,说到底这就是我要说的,所有我该要讲的,在今晚。

十二

　　这是一个冬天的夜晚,我曾经在这儿,我将会在这儿,回忆,想象,没什么要紧,相信我自己,相信这就是我,不,没关系,在还有别人的时候,这是哪儿,在别人的世界,致命的漫长的路程,在天空下,有一个嗓音,没有,没什么关系,还有用来挪动的东西,不时地,也没有,在别人经过的时候,真的,但是在尘世,肯定在尘世,在一个新的死亡的时候,一个新的觉醒的时候,等着这改变,等着有什么事改变,提前诞生,提前死亡,或者复活,在这记忆和沉思的嘀嘀咕咕之外的深处。一个冬天的夜晚,没有月亮也没有星星,但是明亮,他看见自己的身体,整个正面,正面的一部分,什么照亮了它,这个不可能的夜晚,这个不可能的身体,我的回忆就在他身上,关于真正的夜晚,这就是我的沉思,关于没有明天的夜晚,明天,明天怎么办,为了忍受明天,黎明,白天,他会做得像昨天一样,就像为了忍受昨天,他昨天做的。真的,这不是我,还不是,现在不再是,这是个老手,有过白天和夜晚,但是他忘了,他想到了我,过于想到我,黎明还很远,它也许有时间最后不再破晓。这是他说的,用他那离他而去的声音,也许这个夜晚,他说,多亮啊,我明天怎么做呢,我昨天怎么做的呢,啊这是结束了,明天很远,谁对我这么说,谁对我这么否认,好像我占了他的位置,好像我侵占了他的生命,这个陈旧的耻辱阻止了我活着,成为活着的我阻止了活着,以此类推,同时喃喃自语,没有意义的老年人,下巴垂在心上,手臂摇摆着,膝盖骨折了,在夜里。人们会到那里的,把我悄悄塞进他身体,属于我的记忆和梦想,在他还活着的体内,我不是已经在那里了吗,一直以来,像内疚一样扩散开来,难道不在那里吗,我的夜晚和我的缺席,在这个垂死的人的囚室里,他的死亡是我的最后期限,为了活过,这样流浪,啊到处都有声音,到处都有耳朵,一个在说,一边说,一边在问,谁在说,说什么,一个听到了,不出声,没理解,远离所有人,到处都有身体,被驯服,被逮捕,我应该在那儿有同样多的机会,都那么少,跟这第一个来的一样。没有人会等待,他和别人都不会,没有人等待过,为了死亡,等待我在他身体中活着,为了能够和他一起死亡,但很快很快所有人都正在死去，同时对自己说，我们快点死吧，没有他，就像在生命里，在这还是时候的期间，在没有活过之前。这另一个，自然，关于这另一个说什么呢，他这样流浪，借助于我供给，借助于他剥夺，这另一个没有数目没有人身，我们纠缠着他那被抛弃的存在，什么都没有。这是个漂亮的三重唱，真想不到这一切只构成了一个，这一个构成了虚无，什么虚无啊，它什么都不值。那么，我是不是被认为说了，就是这个时刻，就是这个大地，这些还勉强活着的造物是注定给我的，可能会被另外一个重新拿去，谢谢，笑，因这被警告过的不存在不出声地长笑，听到自己给予了这么强的话语，什么样的幽默感啊，你们得承认你们衰弱了，你们以骑自行车上去告终。这是会计的合唱，他们发表意见，就像一个人，又是一个，这没有结束，所有的人民都满足不了，在无数个亿之后还需要一个神，在无数个证人之后还需要个没有证人的证人，幸好这失败了，幸好什么都没开始，什么都没有，只有从不和什么都没有，这是一种真正的幸福，永远什么都没有，只有死去的词语。

十三

　　这个衰老软弱的声音，它还在变弱，它不知道创造我，它变得远了，为了表达它离开了，去别的地方尝试了，或者它降低了，怎么知道呢，为了说明它要停止了，不再尝试了。只有它，它说，作为声音在我的生命中，如果在谈论我的时候人们可以谈论生命，它可以，它还可以，如果不能谈论生命，到那儿它就正在死去，如果只是这样，如果只是那样，到那儿他就正在死去，如果正在谈论我，到那儿它就正在死去，但是最强的可以最弱，能谈论我便没什么不能谈论，直到某一个程度，直到那个时刻，它正在死去，它再也受不了了，谈论我，在这里，在别的地方，它说，它低低地说。谁，这不是一个人，没有人，有一个没有嘴巴的嗓音，某个地方有听觉，某个东西大概听到了，某个地方有只手，它称这为一只手，它想创造一只手，总之，某个东西，某个地方，留下点痕迹，发生过事情的痕迹，说过事情的痕迹，这真的是最低限度，不，这是小说，还是小说，只有这个嗓音存在，发着声响留下痕迹。痕迹，它想留下些痕迹，是的，就像空气留下的痕迹在树叶中，在草中，在沙中，用这个它想创造一个生命，但这很快结束了，不会有生命，不会有过生命，会有安静，空气在永远凝固前还颤抖一刻，一颗小小的灰尘掉下来一小会儿。空气，灰尘，这儿没有空气，也没有什么可以创造灰尘，可以谈论时刻，一小会儿，这是为了什么都不说，但是这个嗓音使用的就是词语，它一直在谈论，它还将一直谈论，谈论不存在的事，或者在别的地方存在的事，如果人们想的话，如果这存在的话，但是，这不涉及别的地方，这谈的是这儿，啊它终于在这儿了，它还在这儿，必须从这儿出去，去别的地方，那儿时间过去，原子集合，有一小会儿，它也许从那儿来，它有时候说它大概是从那儿来，为了可以谈论那么多的空想。是的，从这儿出去，但是，这是空的，没有一粒灰尘，没有一丝风，只有它自己，它徒劳地运动，什么都没被创造。如果我在那儿，如果它已经知道创造我，那我会多么同情它，谈论了那么多而徒劳无用，不，这不行，它肯定没有徒劳地谈论，如果我在那儿，我不会同情它，如果它创造了我，我会诅咒它，或者赞美它，它会在我的嘴里，诅咒，赞美，谁呢，什么呢，它不知道说，它再也不知道说什么事情了，在我的嘴里，它过去知道说那么多事情，徒劳。这是一些球，他们纺出来的，这是最后的。但是，这同情，这同情还是在空气中，尽管这儿没有空气可以带来同情，但这是一个表达，该停在那儿吗，该想想它从哪里来吗，它想着这个，如果这不是一个发光的小小希望，不怀好意地，在叛变的灰烬当中，另一个表达，总之一个小小存在物的小希望，人性化的一种，在什么都没看见之前眼睛里的眼泪，不，不可以，和其他的事一样不可以，不再可以停留在任何事情上，任何事都不该再阻止它，无论在它的下坠中，还是在它的上升中，它也许要在高音中完成自己，在嘶吼中。真的，这经常没有发自于心的，从本义上，从转义上，但这不是个用来希望的理由，说明，也许会有一个，该送到那上面爆裂，在皮影戏当中，遗憾，遗憾。但是最终这个声音等待的是什么，既然这是确定的，既然这是不可避免的，要闭上它那大大的没有生气的嘴，还有一个短语，也许在收集了它所有的蠢事之后，以一种值得其余的东西的节奏。最后的问题老是一样的，小姑娘在床单上最终的姿势，最后的影像，梦想的结束，过来的生命物，经过的生命物，存在过的生命物，谎言的结束。

难道这可能吗，难道这就是最后可能的事情，在不可能的阴暗中黑色的虚无熄灭，那就是最后可行的事，不可行的结束了，寂静不出声了，它想着这一点，这个噪音就是安静，或者我，怎么知道呢，一个字的我，那就是梦想，不相上下的安静，它和我，它和安静，我和安静，全部的我们，全部的它们，全部的它们，但是是谁呢，谁的梦想，谁的安静，老问题，最后的问题，我们的，我们就是梦想和安静，但是这结束了，我们结束了，我们从没有存在过，马上就再也没有任何东西了，那儿也从来没有过任何东西，最后的影像。在每个不出声的百万分之一的音节上，在难以遏制的无穷无尽的凹陷的悔恨上，在伤口里的伤口上，谁羞愧于不得不听到，不得不表达，用比最小的窃窃私语还低的声音，那么多的谎言，那么多次同一个谎言和用谎言揭穿谎言，这嘶吼的安静是是的伤疤和不的刀口，它想。但是知道它变成什么的希望，这个声音想到这个，它不在那儿了，心不在那儿了，头脑不在了，人们没有感觉到任何东西，没有要求任何东西，没有寻找任何东西，没有说任何东西，没有听到任何东西，这是安静。这不是真的，是，这是真的，这是真的和这不是真的，这是安静和这不是安静，没有人和有人，没有任何东西阻止什么。这个声音,这个衰老正在变弱的声音,它最后会不出声说这不会是真的,就像它说话不是真的,它不会说话,它不会不出声。这儿会有一天,这儿没有白天,这儿不是一个地方,不可能的声音不可行的存在物的出路,和一个白天的开始,一切都会静悄悄空洞黑暗,就像现在,就像一会儿之后,但一切都已结束,一切都已表达,它说,它低低地说。

图书在版编目（CIP）数据

贝克特作品选集.1，短篇和诗歌集/（爱尔兰）贝克特（Beckett, S.）著；郭昌京等译. —长沙：湖南文艺出版社，2013.12（2025.6重印）
ISBN 978-7-5404-6461-5

Ⅰ.①贝… Ⅱ.①贝… ②郭… Ⅲ.①文学－作品综合集－爱尔兰－现代②诗集－爱尔兰－现代 Ⅳ.①I562.15

中国版本图书馆 CIP 数据核字（2013）第 264631 号
著作权合同登记号：图字 18-2013-197

贝克特作品选集 1
BEIKETE ZUOPIN XUANJI 1
短篇和诗歌集
DUANPIAN HE SHIGE JI

著　　者：[爱尔兰]萨缪尔·贝克特	
译　　者：郭昌京　涂卫群　邹　琰　曾晓阳　余中先	
出 版 人：陈新文	监　　制：谭菁菁
责任编辑：冯　博　李　颖	责任校对：艾　宁
特约编辑：陈美洁　黎添禹	装帧设计：CANTONBON
出版发行：湖南文艺出版社	
印　　刷：长沙超峰印刷有限公司	
经　　销：新华书店	
开　　本：787 mm×1092 mm　1/32	
印　　张：12.75	
字　　数：204 千字	
版　　次：2013 年 12 月第 1 版	
印　　次：2025 年 6 月第 2 次印刷	
书　　号：ISBN 978-7-5404-6461-5	
定　　价：75.00 元	